EL INDIO

GREGORIO LÓPEZ Y FUENTES

EL INDIO

NOVELA MEXICANA

PREMIO NACIONAL DE LITERATURA 1935

PRÓLOGO

DE

· ANTONIO MAGAÑA-ESQUIVEL

11ª edición

EDITORIAL PORRÚA, S. A.
AV. REPÚBLICA ARGENTINA, 15
MÉXICO, 1991

Primera edición: México, 1935

Primera edición en la Colección "Sepan Cuantos...", 1972

ISBN 968–432–460–X

IMPRESO EN MÉXICO
PRINTED IN MEXICO

PRÓLOGO

I

El ejercicio del lenguaje descriptivo, con el propósito de reconstituir la imagen de una realidad demasiado inmediata y directa, a veces da la sensación de un espejo roto. Y así frecuentemente aparecía aquella sección de *El Universal Gráfico* que Gregorio López y Fuentes inauguró con el título de "La Novela Diaria de la Vida Real". Por supuesto, atrajo inmediatamente la atención de todos los lectores, sugestionados por aquella novedosa novelización de un suceso cotidiano, un crimen, un accidente, una anécdota política, una simple acta de comisaría. Como ejercicio de composición novelística fue provechosa, seguramente. Aparte el problema del lenguaje periodístico y de la trama y las figuras rápidamente dibujadas, esta forma de novelar cualquier acontecimiento diario de la más diversa índole, renueva la tesis planteada por Roger Callois: que la novela como género literario no tiene reglas y todo le está permitido, que la novela es contenido puro, que la novela es una antología de posibles, y que en literatura, como en todo arte, hay una jerarquía que proviene del alcance de la obra y de sus relaciones con la humana condición. La novela particularmente, explica Callois, "excluye a tal punto toda preocupación formal que se ha llegado a sostener que un estilo cuidado la perjudica... En la novela basta con el sentido inmediato de las palabras; la ciencia de amalgamarlas está de más..." Su regla esencial y exclusiva sería no tener ninguna regla. Así, de pronto, la novela puede tomar un aspecto inesperado, el de un trabajo de investigación científica, el de análisis histórico, el de estudio sociológico o antropológico, el de crónica de sociedad, el de reseña amorosa o sentimental, el de recogimiento del alma y meditación, el de aventura fantástica. Su libertad no reconoce límites, y sus transformaciones, sus procedimientos y sus materiales resultan por consiguiente infinitos.

López y Fuentes practicó, aunque no conociera la tesis de Roger Callois, esta libertad narrativa, que no excluía la capacidad de selección y cierta despreocupación de lenguaje; no creo que lo haya perjudicado, antes bien lo preparó para sus obras mayores que inicia con su novela *Campamento* (Madrid, 1931). A los 17 años había publicado su primer libro, ciertamente; era un libro de poemas cuyo título denuncia su filiación postmodernista: *La siringa de cristal,* que hoy es una rareza bibliográfica. Había nacido el 17 de septiembre de 1897 en la ranchería El Mamey, muy cercana al pueblo de Zontecomatlán, en el Estado de Veracruz. Nunca olvidó los detalles de esta verdadera realidad; pero no sólo en su aspecto exterior o ritual sino con la experiencia de la imaginación; así, trató de expresar en sus novelas aquella conciencia de escenas e impresiones de sus primeros años, de su infancia vivida en aquellos rumbos, y de su primera juventud transcurrida en las aventuras de la época armada de la Revolución. Su padre había sido agricultor, y luego hubo de dedicarse al comercio, en una pequeña tienda que abrió en aquella ranchería de El Mamey. Allí cursó López y Fuentes sus primeras letras; allí se educó y creció. Aquella su formación rural, su contacto con las gentes del campo, y con aquel pueblo inventor de refranes y aforismos que fue a la Revolución con la misma idea de hacerse justicia con su propia mano, habrían de determinar su manera novelística. Tenía apenas 17 años cuando ocurre la traición de Victoriano Huerta y el asesinato de Madero y Pino Suárez; López y Fuentes se afilió al ejército constitucionalista y peleó con las armas en la mano, no sólo contra el ejército federal de Huerta sino contra los soldados norteamericanos que con cualquier pretexto invadieron el puerto de Veracruz y lo cañonearon por órdenes del almirante Fletcher; lo del incidente en Tampico ocurrido con unos marineros del navío de guerra *Dolphin,* resultó demasiado pueril. Todo México se alzó contra esta segunda agresión de un país más poderoso, que hondas cicatrices había dejado en 1847. López y Fuentes, que entonces estudiaba en la Escuela Normal para Maestros, se incorporó a los grupos de estudiantes que combatieron a los invasores norteamericanos. Concluido el alevoso incidente, no tardó el futuro novelista en unirse a las fuerzas de Venustiano Carranza que luchaban contra el usurpador Huerta.

Y lo admirable es que ese mismo año de 1914, de tremendas convulsiones interiores y de peligro de una guerra internacional, Gregorio López y Fuentes publicó aquel su primer libro de poemas, *La siringa de cristal.* Pertenecía al grupo de la revista *Nosotros,* y estudiaba en la ciudad de México la carrera del magisterio, como digo antes. Había venido a la metrópoli en 1912. Aquí presenció la caída y el asesinato de Madero, la famosa "Decena Trágica", tristemente famosa por lo que significa de traición política y de crimen social por parte de Victoriano Huerta y los antiguos "científicos". De aquí marcharía a Veracruz, como queda dicho a combatir al invasor norteamericano. Ya estaba en el ejército carrancista cuando se planteó, en 1916, la pugna entre el llamado Primer Jefe y Francisco Villa. López y Fuentes decide entonces dar por concluida su carrera militar y volver a la ciudad capital de México.

Hay cierta indecisión en su existencia en los años que siguen inmediatamente. Vive un tiempo al lado de su padre. Regresa a la ciudad de México por alguna temporada. En 1922 decide al fin publicar otro libro, también de poemas, que titula *Claros de selva,* que marcaría el final de su vocación de poeta. Decidió entonces su carrera. No volvería a perpetrar poesía, tan pronto encuentra que su sitio adecuado está en la narración, como lo prueba con su primera novela, *El vagabundo,* que se publica ese mismo año de 1922 en la revista *El Universal Ilustrado,* en la sección denominada muy elocuentemente "La Novela Semanal". No fue fácil abrirse paso. Ni *El vagabundo* ni su segundo libro del género narrativo, titulado *El alma del poblacho,* editado en 1924, ganaron la consideración de los lectores ni de la crítica de manera particular; eran relatos en que ya se advertía el don de observación y la facilidad narrativa de López y Fuentes, la capacidad de desprenderse de aquella existencia pueblerina para verla y medirla desde afuera, con claridad y exactitud, pero en los que aún no maduraba el novelista que, al fin, llamaría la atención y ganaría renombre con su tercera novela, *Campamento,* editada en 1931, en Madrid.

II

El fenómeno político-social de la Revolución Mexicana constituye una etapa que necesariamente habría de relacionarse con las letras, con fuerza más significativa de cómo ocurrió con la Reforma, como un afán de adueñarse definitivamente no sólo del idioma sino de la nacionalidad. Sin la provocación de aquella temperatura social no se explicarían ni el estado de espíritu, mucho más allá de lo romántico, ni esta realidad de cuya conciencia independiente darían alguna muestra los productos literarios que tomaron de la Revolución o sus anécdotas bélicas o sus ideas. En el campo del espíritu y de la creación literaria es difícil señalar linderos, precisar cotos, porque entre una época y otra existen en cualquier momento interinfluencias naturales, aunque después cada etapa vaya adquiriendo y definiendo sus rasgos particulares, distintivos, su carácter propio e inconfundible. No es posible aceptar que la Novela de la Revolución sea, escuetamente, "el conjunto de obras narrativas, de una extensión mayor que el simple cuento largo, inspiradas en las acciones militares y populares, así como en los cambios políticos y sociales, que trajeron consigo los diversos movimientos (pacíficos y violentos) de la Revolución que principia con la rebelión maderista, el 20 de noviembre de 1910, y cuya etapa militar puede considerarse que termina con la caída y muerte de Venustiano Carranza, el 21 de mayo de 1920". La Novela de la Revolución es mucho más que eso. Los hombres consolidan sus fuerzas, reúnen sus energías, encienden los fuegos del infierno, y repudian su inocencia y su conformidad. En el caos, en el desorden, en la violación, en la violencia, encuentra el hombre un punto de arranque para procurarse el poder y deshacer su propia mediocridad. Y es lógico que en ese infierno el hombre busque sus nuevos héroes y su propia explicación humana. No puede llamar la atención, pues, que los creadores de la Novela de la Revolución sean hombres que en ella intervinieron de una o de otra manera, que la presenciaron y en ella actuaron, y ahora quieren describirla y enjuiciarla.

La Novela de la Revolución, aparte su encasillamiento cronológico, vendría a ser entonces la conciencia de ese movimiento y la aspiración de limitarlo, en su compromiso consigo mismo y en la revelación de ocultas o disimuladas verdades sociales. Creo yo que nunca se acabará de entender a un país si no se atiende a su literatura; y así como pudo decirse que las letras mexicanas durante el virreinato no eran sino un apéndice de las españolas, así podrá apreciarse que al pasar por el tamiz de la Independencia y de la Reforma Juarista, la intuición social de México se encaminará a un objetivo preciso: el nacionalismo, que era el colmo de la lógica, el punto extremo de su evolución. Aun aquella literatura virreinal si en algo se distinguía —ese algo que en España hizo llamar intruso a Ruiz de Alarcón porque oponía la tierra y la realidad humana al cielo y al infierno ideados por Calderón de la Barca y Lope de Vega— era por lo que, sin saberlo, ponía de indígena o de nacional, que era entonces una especie de herejía. Así, eran herejía Fernández de Lizardi y el *Diario de México*, y todos los epigramas y panfletos con que se respondía al régimen del virreinato. Eran herejía la inclinación a la política y a la crítica. Era herejía toda manifestación popular. Aunque no existiera bien definida una intención purificadora o regeneradora entre aquellas brumas que ceñían al mexicano y sólo iluminaban la obediencia como camino para ganar el cielo, iban acumulándose aquellas herejías sin explicaciones y nada más como aventura. La novela era también una herejía; no por azar la primera novela mexicana coincide con la Independencia, eliminados los estorbos a su pasión humanista. Al principio pudo ser una "imagen de la vida", como quería Pérez Galdós, o el espejo que se pasea por el camino; pero luego la temeridad de la Reforma Juarista y el enfrentamiento a lo primitivo que vino después con el porfiriato prepararon y propiciaron la exaltación y la decantación del espíritu montaraz que opera en el mexicano y establecieron su relación con la Revolución y lo que ésta implicaba de modelación del ser humano frente a su natural convivencia o a su soledad. Aquel movimiento no justifica a la nueva novela, pero la hizo posible. Llega un momento en que la novela concibe el espectáculo del México violento y sangrante como una estructura incompleta, como un organismo sujeto a la parálisis de uno de sus miembros: el indio. El ardor revolucionario era la consciente oposición al ardor de la opresión; y el nuevo personaje que es el pueblo aparece, planteando el destino de su reivindicación. Cada día un combate, cada día la entrada o la salida de un pueblo a un campamento o viceversa, y otros indígenas se agregan a la tropa. Cuando un general o un político se hace ilustre, descubre de pronto que el país es mestizo, no es sólo la Universidad pero tampoco es la pirámide indígena, sino ambos a la vez, con la circunstancia de que la cultura indígena, entendida no sólo como productora de estética sino como sistema de vida, llegaría a la Universidad y sería factor esencial en la creación de la nacionalidad.

La aventura del héroe revolucionario se desborda hacia la gran masa colectiva. La novela, aun los relatos anecdóticos que primero aparecieron, adquiere así lo que los economistas llamarían después "sentido de la evidencia". En ese estado se planteó la cuestión del lenguaje. Hubo un momento en que pudo pensarse que la Revolución al reivindicar otros derechos humanos, reivindicaba también el derecho a escribir mal y hacer propaganda y que, en consecuencia, se alzaba contra los escritores cultos y la literatura difícil. Lo que ocurría era que la Revolución había sacado de quicio al país y a sus hombres, había extraído su intimidad y sus necesidades. ¿Cuáles son los signos de esta nueva cultura mexicana, la cultura de la Revolución? A mi juicio son los siguientes: *a)* un Estado en cuyo orden jurídico y en cuyas tareas de gobierno participan por igual todos los mexicanos, sobre bases de teoría democrática; *b)* la incorporación del indígena a la metodología económica, como un fermento de acción extraordinaria, y la aportación de recursos y tecnología a las regiones rurales; *c)* un realismo mágico del "phatos" de la existencia mexicana, en las artes y las letras.

III

El mundo infinito que la Revolución ofreció a la novela planteó una realidad que, como quería André Gide, se revelaba no sólo en longitud o en tiempo sino en profundidad y anchura. La novela se hizo así la tierra movediza, la alfombra mágica; y México cumplió el apotegma de que el escritor pudiera violar a la Historia, con la única condición de hacerle un hijo. Al igual que otros novelistas, Gregorio López y Fuentes hubo de abandonar su condición de tercera persona en aquel mundo exterior revolucionario, de combates y emboscadas, para iluminar el interior de su memoria y a ésta aplicar su capacidad de invención. En el proceso evolutivo de la Novela de la Revolución se han reconocido tres etapas, que resultan demasiado obvias:

a) la primera sería la de los antecedentes inmediatos, los principios del realismo mexicano, a finales del siglo XIX, o en la primera década del XX con novelas como *La bola* (1887) de Emilio Rabasa, *Tomóchic* (1892) de Heriberto Frías, y *La parcela* (1898) de José López Portillo y Rojas;

b) la segunda constituiría la etapa de los testimonios, de un protagonista, o de un espectador de aquellos sucesos violentos de la Revolución armada; en algunos casos resultan memorias novelescas, aunque novelas por su naturaleza narrativa, novelas-testimonios, novelas-documentos, como *Los de abajo* de Mariano Azuela, que inaugura el género, *El águila y la serpiente* de Martín Luis Guzmán, que quizá sea la mejor lograda, *Tropa vieja* de Francisco L. Urquizo, que es la visión opuesta, el reverso de la medalla, o sea la Revolución vista desde el campo enemigo del ejército federal antiguo, porfirista, y la tetralogía francamente autobiográfica y documental de José Vasconcelos que integran *Ulises criollo, La tormenta, El desastre* y *El proconsulado,* que buscan la erección de **un** personaje fundamental: José Vasconcelos, representante de la reivindicación intelectual y de la superación de la mediocridad vital que procuró el movimiento revolucionario;

c) la tercera etapa vendría a ser la que configura la mirada retrospectiva, la de autocrítica, la de medición y ajuste de aquellas estatuas de héroes y vencedores que se habían creado con el criterio oficial de la Revolución hecha gobierno, de las reformas reglamentadas a través de una nueva burocracia; son, pues, de índole social, de muy diverso enfoque en *Apuntes de un lugareño* o en *Desbandada*, ambas de José Rubén Romero, y en *El indio* o en *¡Mi general!* de Gregorio López y Fuentes, y en *Bramadero* de Tomás Mojarro, y en *Frontera junto al mar* de José Mancisidor, y en *Casi el paraíso* de Luis Spota, y en *La tierra enrojecida* de Antonio Magaña-Esquivel, y en *Al filo del agua* o en *La tierra pródiga*, ambas de Agustín Yáñez, y en *Balún Canaan* de Rosario Castellanos, y en *La región más transparente* de Carlos Fuentes, entre otras más recientes.

La cifra de la Novela de la Revolución está, pues, en su materia prima, en su complejo de héroes frustrados, de homenajes estatuarios, de rebeliones fracasadas, de síntesis humanística de los fragmentos de un pueblo conjugados en un personaje que resulta la suma de otros, y que en la mayoría de los casos puede ser fácilmente identificado. Así aparece *El indio,* de López y Fuentes, cuyas figuras carecen de identidad visible o aparente, concreta e individual, pero que son una especie de denominador común de una conciencia nacional, en continua resonancia, en inacabable esfuerzo, en suprema esperanza humana.

El encuadre de la Novela de la Revolución en aquellas tres etapas es de orden puramente cronológico. El frenesí, el desenfreno, la violencia, el disloque, son parte de su dialéctica. Si la Revolución comienza en el indio, la verdad es que no termina en el indio, como tampoco puede ser verdad que haya terminado en 1920 o en 1940 con Carranza o con Cárdenas. Y si la Revolución tuvo un principio básico en el indio por un propósito de reconocer en el indio una fuerza social nueva y necesaria para la integración nacional, la verdad es que no termina la reforma campesina con el rescate del indio ni con su nuevo comportamiento social porque el objetivo económico incluía la superación de toda reticencia de las antiguas clases dominantes no sólo mediante el reparto justo, equitativo, de la tierra sino a través del otorgamiento de recursos y tecnología al campesino. Y entre los contrastes mexicanos pudo verse que si el indio es siempre campesino no siempre el campesino es indio, y que si la reforma agraria era radical, más radical era el latifundismo. Por eso la importancia del indio. Por eso la importancia de El indio.

IV

El indio mexicano como agente de fuerzas superiores era el producto de un pasado de injusticias y de un presente desequilibrado y en desorden; pero seguía siendo la esperanza humana de aquella cultura que había hecho historia y creado mitos, y que ni la colonización ni el latifundismo habían logrado destruir y exterminar del todo. Por el contrario, un mestizaje progresivo iba preparando el milagro anti-feudal con el ejemplo de Juárez, un indio alzado a la cumbre política, y frente a la prevaricación y los dispendios de Porfirio Díaz. Al criollo y al mestizo y al indio los aproximaba su despego. Nada les faltaba ni a éste ni a los otros para ser dignos de que los colocaran de nuevo en la Historia, para saltar y caer el uno sobre el otro, empujar la existencia de todos y denunciar sus problemas. Nunca fue entre ellos fácil el acercamiento; pero todos habían ido acumulando imágenes propias, y por apoderarse unos las de los otros y formular comparaciones terminarán un día por erigir su síntesis tan merecida. Es posible que Gregorio López y Fuentes no haya calculado nada de esto ni escribiera El indio con esta premeditación; pero es tan viva la narración y la practicabilidad de aquellas costumbres y formas de existencia es tan legítima y poderosa, que el cuadro sinóptico de El indio siembra luces en el criterio extranjero sobre la integración de México. No por otras razones fue pronto traducida al inglés, en 1937, en Londres; es una edición enriquecida con las ilustraciones magníficas de Diego Rivera. En la nota preliminar Lynn Carrick subrayó la importancia del Premio Nacional de Literatura que por primera vez se otorgaba en México, y el acierto de López y Fuentes en recoger el espíritu esencial del país y de sus gentes. Poco antes, cuando El indio ganó aquel galardón, Verna Carleton Millán escribió en la sección Books Review del periódico The New York Times un encendido elogio del novelista mexicano. "Gregorio López y Fuentes —dijo— tiene dos cualidades indispensables de un auténtico novelista: una cálida, aguda simpatía por el género humano, por el hombre como ser viviente y activo, a la que añade una honestidad intelectual absoluta que no le permite corromper la sinceridad de su novela con notas o toques sensacionalistas..." Y concluía: "Por esta razón *El indio* puede ser considerada, con *Los de abajo* de Azuela y *El águila y la serpiente* de Guzmán, muy digna de ser incluida en la muy corta nómina de libros que han ganado un sitio firme en la literatura mexicana", Lynn Carrick a su vez, en aquella nota preliminar de la edición inglesa, advertía: "*They that reap* can be enyoyed for what it is without straining for symbolism or historical analogies".

Aunque pudiera parecer extraño a los lectores de habla inglesa, *El indio* no traza una figura, un carácter, un personaje determinado, con sus rasgos peculiares y en acción vital, sino que dibuja al pueblo de aquella ranchería como un ser colectivo, una comunidad que se atemoriza ante la llegada del hombre blanco; la narración se desenvuelve en tres momentos, tres tiempos, la llegada de los intrusos que vienen en busca del *teocuítatl,* el oro, el desquite de los indígenas contra aquéllos, y el infortunio del muchacho que queda inválido de las piernas, y esto otorga una característica singular al diálogo y a la narración misma que implica el empleo frecuente de palabras indígenas que obliga a dar luego, al final, un vocabulario. Aquel Premio Nacional de Literatura que en 1935 por primera vez se otorgaba en México y que obtuvo *El indio,* no dejó de influir en el interés con que Anita Brenner se apresuró a hacer esta traducción al inglés que publicó la casa editorial George G. Harrap & Company Ltd., en la capital británica.

En sus novelas anteriores, *Campamento* (1931), *Tierra* (1932) y *¡Mi general!* (1934), López y Fuentes había recogido, es cierto, sus recuerdos muy personales de la Revolución en su etapa armada, bélica; pero ninguna de ellas es superior a *El indio* en interés de las figuras, ni en el asunto que desarrolla, ni en su estructura narrativa. *Campamento* es un conjunto de escenas más o menos violentas, visiones de los diversos grupos de tropas revolucionarias que se concentran en determinado lugar; viene a ser, y así lo anota Castro Leal, "como los diversos paños de un gran fresco pictórico de la noche de reposo de un ejército en campaña". Cada escena, cuadro o "paño" corresponde a una anécdota o a un grupo de soldados revolucionarios que se han concentrado en una ranchería y que han acampado para prepararse a un gran ataque. El autor no dibuja personajes determinados, sino tipos, figuras genéricas, el cabecilla, el general, el exfederal, sin darles siquiera un nombre

propio; y en el fondo, la masa popular, el pueblo, para el que de
nada servía en aquel momento llamarse de un modo o de otro,
Juan o Pedro.

Así lo explica, con clara intención, el coronel:

—"No hacen falta nombres. Los nombres, al menos en la Revolución, no hacen falta para nada. Sería lo mismo que intentar poner nombres a las olas de un río, y somos algo así como un río
muy caudaloso. Comenzaron unos cuantos allá muy lejos; hilitos
de agua. Caminaron y se les unieron otros hilitos de agua... ¿Para
qué son los nombres? No importa el nombre del general. No importa el nombre del soldado. Somos la masa que no necesita nombres ni para la hora de la paga, ni para la hora de la comida; vaya,
ni para la hora de la muerte..."

Así también, en *El indio* no aparecen nombres propios; es otro
caso muy de López y Fuentes de una novela en que sus figuras
principales no tienen nombre propio; los otros y el propio autor
los llama por alguna característica personal, el intérprete, el guía,
el viejo, el presidente municipal, el secretario, el profesor, que es
como decir el río, el *volador,* el monte, el *nahual.* Varios incidentes se entrecruzan en la narración, en torno a esas existencias indígenas, acerca de esas costumbres del indio mexicano, el *cuatitlácatl*
o sea el cazador, el consejo de los *huehues,* es decir, la junta de
ancianos, los *tlapaloles* que son los regalos, la *xochipitzahua* que
es una danza ritual; todo ello constituye una especie de mosaico, un
gran cuadro que da la imagen de aquel mundo determinado por la
Revolución, salpicado de dichos y figuras de fuerte colorido.

También en otra de sus novelas, la titulada *Tierra,* se plantean
por López y Fuentes las líneas esenciales del programa de la Revolución; no en balde el novelista la subtituló *La Revolución Agraria
de México.* Es también una sucesión de escenas, de estampas, que
se van desenvolviendo y coordinando al paso de los días. Se abre
la narración en 1910; era todavía la época del latifundio y del
rico terrateniente porfirista personificado en el tipo de don Ber-
nardo González. Como se ve, aquí sí hay nombres propios. Cada
capítulo lleva como título el nombre de un año, hasta llegar al de
1920 en que, con el asesinato de Emiliano Zapata y la muerte de Antonio Hernández, la novela concluye; hemos visto desfilar antes
no sólo a las figuras de aquellos peones que se incorporaron al
ejército zapatista, sino también los ideales mismos de la Revolución,
o sea, el "retrato" de la Revolución, su "personalidad".

En *¡Mi general!* no puede eludir López y Fuentes un asomo de crítica a ciertos grupos que buscan no servir sino servirse de la Revolución. Es la figura de un campesino que asciende al grado de general; se le abre una carrera política, pero en pleno triunfo se derrumba cuando se niega a obedecer una consigna electoral que considera injusta, inadecuada. "Una fiebre. Un delirio. Hombres que adoptan actitudes de perro, a fuerza de serviles. Pasiones incontenibles, al grado de considerar la deslealtad como un medio lícito para lograr los fines. Subir. Subir. Un vértigo. Y, por sobre todas las cosas, dinero." Aquel campesino improvisado general y luego político, ya caído, pisoteado, decepcionado de sus antiguos amigos y de todo, regresa a sus tierras y a su oficio original, donde al fin se encuentra a sí mismo.

Como en *El indio* y en *Campamento,* López y Fuentes no adopta nombres propios para sus personajes de *¡Mi general!;* se limita a decir el general, el coronel, el muchacho, mi amigo, el jefe, como si los nombres tampoco aquí fueran necesarios o como si le diera lo mismo que éste o aquél se llamara Manuel o Francisco. Pero la "personalidad" de la Revolución, como conciencia y como imagen viva, se completa en *El indio* que, tampoco sin nombre propio, es su protagonista central, que ha superado las derrotas, las humillaciones, las traiciones, firme en su naturaleza propia. Es preciso considerar que el novelista se propuso trazar en *El indio* el "retrato" del indio, como ser genérico, en abstracto, como nexo y base esencial del medio, de la historia, de la existencia y del futuro de México. Tras de los incidentes que origina la llegada a la ranchería de los tres exploradores que traen un mapa revelador de la existencia de oro en aquella región, y que vienen en busca de ese oro, y que someten a tormento al joven guía, como a Cuauhtémoc, para que revelase el sitio del oro, López y Fuentes expone su tesis acerca del problema social del indio en México, diluida, claro está, en la propia narración novelística. El presidente municipal se pregunta de qué sirven los indios, "si son refractarios a todo progreso"; y concluye el presidente municipal: "¡Han hecho bien los hombres progresistas y prácticos de otros países, al exterminarlos! ¡Raza inferior! ¡Si el gobierno del Centro me autorizara, yo entraría a sangre y fuego en todos los ranchos, matando a todos, como se mata a los animales salvajes!" Por su lado, el maestro del pueblo afirma: "Yo opino de distinta manera. Sobre esta cuestión de los naturales hay muchas teorías. De ellas voy a hablarles reservando para lo último la mía. Unos creen que es necesario colonizar con raza blanca los centros más compactos de indígenas, para lograr la cruza. Los partidarios de esta medida se fundan en que de esa cruza hemos salido nosotros, los mestizos, que somos el factor más importante y progresista... Otros consideran que el problema puede ser resuelto por medio de la escuela. Fundar escuelas por todas partes... Los que sostienen esta idea han creado la palabra *incorporación,* sólo que para ello hace falta algo más que la escuela..."

Y cuando el presidente municipal lo interrumpe para gritar que todo ello es una sarta de ideas sentimentales, el profesor agrega: "Pues allá va mi teoría, señor presidente. El hecho de que hayan huido a lo más abrupto de la sierra, demuestra que no nos tienen confianza, que aun cuando se les hubiera dicho que sólo venía la autoridad a practicar una averiguación, de todas maneras no nos hubieran esperado. Esa es la verdad: nos tienen una profunda desconfianza almacenada en siglos. Siempre los hemos engañado y ahora no creen más que en su desgracia... Mi teoría radica en eso precisamente, en reintegrarles la confianza..." Y expone inmediatamente el método que cree más adecuado y sensato para recuperar la confianza del indio, como ser humano y como ciudadano mexicano.

V

El indio propone, como se ve, la personalidad-arquetipo del natural de estas tierras. López y Fuentes no formula abiertamente su teoría indigenista, pero la pone novelísticamente en boca del profesor. Esto viene a ser el centro de gravedad de la novela. Los subtemas que van desarrollándose rápidamente, como el del muchacho lesionado en las piernas que está a punto de casarse y cuya novia, en obediencia a sus mayores, casará con otro, o como la anécdota del profesor indígena que busca ayudar a los suyos, éstos y otros pequeños subtemas, contribuyen a fortalecer aquel centro de gravedad que es la personalidad-arquetipo del indio, y no constituyen sino vertientes de la misma gran corriente indigenista cuyo reflejo ofrece el autor.

No ha faltado quien le regatee a *El indio* la condición de auténtica novela, para atribuirle una categoría especial de narración documental o de relato histórico-costumbrista-antropológico; algo parecido a lo que después vendría a hacer, con escasas armas narrativas, el norteamericano Oscar Lewis en su libro *Los hijos de Sánchez*. No hay en ello intención peyorativa, ni propósito de rebajar los méritos de *El indio,* sino sólo una idea de clasificación, de encasillamiento, pero al mismo tiempo otro ejemplo de la libertad que asume la novela moderna para ofrecer formas, estilos, personajes, estructuras diversas; o como dijo el otro, la libertad del género novelístico para constituirse en una antología de posibles.

La manera de López y Fuentes ha sido ésta de documentar su relato, de diluir en éste una teoría humana y nacionalista, y de reducir al anónimo a sus personajes. Otra muestra de ello es *Arrieros,* que vendría después de *El indio,* y que viene a ser su refranero por antonomasia.

Cuando se retiró del periodismo, tras de ejercer la dirección de *El Universal Gráfico* desde 1937, y la de *El Universal* desde 1945, se dedicó, a partir de 1956, a dirigir una empresa editorial. En realidad nunca abandonó el ejercicio de las letras, con la particularidad de que, aparte aquellos primeros versos, no escribió sino exclusivamente relatos, novela o cuento. También queda aparte, obviamente, su obra periodística en los dos periódicos mencionados. Al morir, en la ciudad capital de México, el 11 de diciembre de 1966, era ya un novelista consagrado, bien calificado en historias y estudios de la literatura mexicana contemporánea.

ANTONIO MAGAÑA-ESQUIVEL.

BIBLIOGRAFÍA DIRECTA

POESÍA

La siringa de cristal, s. p. i., México, 1914.
Claros de selva, Ed. América Latina, México, 1922.

NOVELA

El vagabundo, en "La Novela Semanal" de *El Universal Ilustrado,* Méxixico, 1922.
El alma del poblacho, novela corta, s. p. i., México, 1924.
Campamento, Edit. Espasa-Calpe, Madrid, 1931.
Tierra. La Revolución Agraria en México. Obsequio de *El Universal Gráfico* a sus lectores. Talleres de *El Universal,* México, 1932.
¡Mi general!, Eds. Botas, México, 1934.
El indio, Premio Nacional de Literatura, Eds. Botas, México, 1935.
Arrieros, Eds. Botas, México, 1937.
Huasteca, Novela del Petróleo, Eds. Botas, México, 1939.
Acomodaticio, Un Político de Convicciones, Eds. Botas, México, 1943.
Los peregrinos inmóviles, Eds. Botas, México, 1944.
Entresuelo, Eds. Botas, México, 1948.
Milpa, potrero y monte, Eds. Botas, México, 1951.

CUENTO

Cuentos campesinos, Edt. Cima, México, 1940.

SELECCIÓN DE BIBLIOGRAFÍA INDIRECTA Y CRÍTICA

ABREU GÓMEZ, Ermilo: *Sala de retratos,* Editorial Leyenda, México, 1946.

ALEGRÍA, Fernando: *Historia de la novela hispanoamericana,* Ediciones de Andrea, México, 1965.

ANDERSON IMBERT, Enrique: *Historia de la literatura hispanoamericana,* Tomo II, Época Contemporánea, Serie de Breviarios, núm. 156, Fondo de Cultura Económica, México, 1961.

BRUSHWOOD, John S. y José Rojas Garcidueñas: *Breve historia de la novela mexicana,* Manuales Studium, Ediciones de Andrea, México, 1959.

CASTRO LEAL, Antonio: *La Novela de la Revolución,* antología, selección, prólogo, cronología, índice de lugares, vocabulario de..., Aguilar Ediciones, tomo II, México, 1960.

GONZÁLEZ, Manuel Pedro: *Trayectoria de la novela en México,* Eds. Botas, México, 1951.

HERNÁNDEZ, Julia: *Novelistas y cuentistas de la Revolución,* Ed. Unidad Mexicana de Escritores, México, 1960.

MAGAÑA-ESQUIVEL, Antonio: *La Novela de la Revolución,* tomo II. Edit. Instituto Nacional de Estudios Históricos de la Revolución Mexicana, México, 1965.

MARTÍNEZ, José Luis: *Literatura mexicana siglo XX (1910-1949),* Colección Clásicos y Modernos, Antigua Librería Robredo, México, 1950.

RAND MORTON, F.: *Los novelistas de la Revolución Mexicana,* Editorial Cultura, México, 1949.

VALADÉS, Edmundo y Luis Leal: *La Revolución y las Letras,* Ed. Instituto Nacional de Bellas Artes, México, 1960.

VARIOS: *Diccionario de escritores mexicanos,* Universidad Nacional de México, México, 1967.

EL INDIO

PRIMERA PARTE

ORO

La llegada de tres hombres extraños sembró el espanto. Junto a la puerta de la primera casa de la ranchería, una mujer dejó abandonado el *malacate* y el algodón que hilaba. Otra, se desató de la cintura, nerviosamente, los extremos del telar, y abandonando la manta que tejía huyó para el interior de la choza, cuya puerta cerró con violencia.

Más allá, ladraron los perros. Y comenzó la estampía hacia las breñas más cercanas: muchachos casi desnudos y mujeres desmelenadas. Era la hora en que los hombres aptos se hallaban en los trabajos.

Los recién llegados avanzaron tirando por las riendas de sus caballos, a los que seguía una mula de carga con dos grandes cajones a cuestas. Así habían hecho la última jornada, por un camino transitable apenas para la gente de a pie, en busca de la ranchería clavada en plena sierra. El que iba adelante, al ver la huida de los naturales, se detuvo sonriendo. Y, a tiempo que hacía notar a sus compañeros el efecto de su presencia, se limpiaba el sudor de la frente.

Un largo callejón. A los lados, las casas pajizas, pardas, ennegrecidas por el humo. Patios de tierra negra. En ellos, un naranjo, un ciruelo, un cedro. Entre casa y casa, una cerca de piedra. Sobre los cercados, ropa tendida a secar. Al fondo de la ranchería, la sierra encarrujada de verdura.

Los tres hombres se miraban con gesto de compasión por los que huían. Uno de ellos dijo:

—Si tuvieran un buen camino, ya no estarían tan atrasados. Al menos ya se hubieran hecho al trato de los blancos.

Y reanudaron la marcha, ya por el callejón. En una de las casas donde el delantero vio que la puerta se había cerrado por el interior y que, por lo tanto, no estaba sola, llamó con pausados golpes. Nadie respondía. El hombre, que era el guía de los otros, hablaba la lengua de los naturales y recurrió a ella, dando a las palabras la mayor mansedumbre, inspiradora de confianza.

3

—...

—¿Qué les dice? —preguntó al intérprete uno de sus patrones.

—Les digo que me regalen un poco de agua.

Y la palabra, dicha en el propio idioma, hizo que se abriera la puerta. Apareció un viejo con una jícara llena de agua, en las manos. En el fondo de la pieza, la única de la casa, estaba una mujer, de espaldas. Parapetado en las piernas de su madre, un niño asomaba media cara, entre curioso y timorato, arriesgando tan solo un ojo, de brillo gatuno.

Los recién llegados bebieron en la misma jícara. Cuando el guía, al regresarla, dijo, dando las gracias, *tlazo-camati,* la cara del indígena se dulcificó aún más. Le preguntó quiénes eran sus amos, qué buscaban, para dónde iban y si acaso no pertenecían a quienes en otras ocasiones les causaran muchos males. Y el blanco le explicó: sus amos vendían algunos artículos, tal vez del gusto de los naturales, estudiaban la tierra y, de paso, buscaban algunas hierbas curativas.

Después, el hombre se volvió a sus amos y les explicó lo que había hablado con el viejo. Mientras tanto, al ver que éste hablaba con los desconocidos, algunos de los naturales abrieron, aunque con sigilo, sus puertas. Otros, regresaban ya, cautelosamente, de las breñas, a las que habían huido. Por sobre los cercados asomaba más de una cabeza: cabellos negros y untados, ojos brillantes, pómulos salientes. Los muchachos, más audaces, se habían acercado para admirar los caballos.

Los visitantes tomaron asiento en una banca de madera que había en el portalito. Fatigados y sudorosos se hacían aire con los sombreros. Hablaban sin duda del lugar, de sus habitantes y de su situación, pues las miradas iban por las casas, por las sierras y en ocasiones los ademanes indicaban al anciano presente y a los niños que a su vez lo veían.

El intérprete se dirigió nuevamente al viejo y le dijo si en el rancho había algún lugar donde se alojaran los viajeros. La respuesta no fue del agrado de los visitantes. El indígena contestó que, como jamás llegaban viajeros, no había hospedaje; pero si ellos deseaban quedarse en su portal...

Después de unas cuantas palabras ajenas a los naturales, fue aceptada la invitación. El guía, con la ayuda del anciano, procedió a descargar los cajones. Aflojó las monturas y, a tiempo que sus amos daban unos pasos por el callejón discutiendo en voz baja y poniendo mucho interés en las cercanas serranías, habló largamente con el viejo, a la vista de cien ojos curiosos.

Fue a unírseles.

—He interrogado hábilmente al viejo y dice que por aquí no hay minas; en cuanto al escondite de polvo de oro, sostiene que jamás ha oído hablar de él; y que no sabe una palabra de los ídolos dorados.

—¡Si será usted ingenuo! ¿Supone que así, de luego a luego, va a decirle la verdad? Yo tengo la relación y el plano de ese lugar, donde los naturales de aquí, hace muchos años, escondieron el polvo de oro de los tributos. Los de este lugar recibían las contribuciones de cien pueblos: ¡polvo de oro en cañones de pluma! ¡Oro! ¡Oro! ¿Y de dónde lo tomaban? De unas minas que hay en estas sierras. ¡Yo tengo el plano!

El intérprete, a pesar del entusiasmo de su amo, se atrevió a refutar:

—El viejo dice que la tribu no tiene muchos años aquí. Sus abuelos, que eran muy poderosos, vivieron en el valle, donde señorearon a otros pueblos. Huyendo de los blancos, que los perseguían, dejaron las tierras buenas de los valles por éstas que, aunque ingratas, les ofrecen más protección.

—¿Y qué importa?

—Digo, señor, que si los antepasados, los que fueron poderosos, tenían su asiento en el valle, es allá donde habrá que buscar las riquezas escondidas.

—¡Buscaremos aquí y en el valle! Lo importante es que ya estamos en el sitio que señala el mapa. ¡Y si el plano fracasa, haremos hablar a estas esfinges que guardan con tanto celo su tradición! ¡Y no hay que esperar que hablen con la sonrisa en la boca, sino con el gesto del dolor! O, acaso, ni es necesario... ¿Pues qué me dirán ustedes si hoy o mañana, al comprarnos una sarta de chaquiras o un manojo de estambre, nos pagan con cañones de plumas llenos de polvo de oro?

*

Al caer la tarde, cuando los hombres regresan de sus trabajos, se encuentran con la novedad de que unos blancos han llegado a la ranchería. Van también ellos, arrastrados por la curiosidad de los demás, hasta el portal donde los mercaderes exponen sus mercaderías.

El viejo de la casa explicó a sus hermanos cómo llegaron los extranjeros, qué era lo que deseaban y, en cuanto a lo que vendían, ya ellos lo estaban viendo. Los puso en guardia sobre que preguntaban insistentemente por el *teocuítatl*, el oro, a lo que él había contestado no saber nada; y sobre las hierbas medicinales, de lo cual los viejos todos resolverían.

Ante las baratijas, eran las mujeres las más animadas. La primera en comprar, mediante el intérprete, una sarta de cuentas de vidrio, puso en manos del vendedor una moneda que hizo a los visitantes mirarse con despechada inteligencia: era una moneda común y corriente. Tal vez otros compradores pagarían con polvo de oro o con tejos amarillos, y siguieron atendiendo la venta. Lo que más vendían eran cuentas y chaquiras, estambre y el *tochomite* con que las mujeres de los naturales labran sus ropas de algodón y con que se adornan la cabeza.

Los hombres se animaron cuando fue abierto un largo paquete. Eran machetes cachi-cuerno, de esos tan largos que arrastran hasta cuando los lleva un individuo de regular estatura. Muchos de los nativos compraron; pero el pago fue en moneda de cuño corriente.

El ensayo comercial no dio el resultado preferido y, ya sin finalidad, los artefactos fueron encajonados. Los extranjeros comentaron el fracaso. Pero les quedaban otros recursos. Entre los hombres que habían regresado de sus trabajos, hechos al trato de los blancos en el pueblo y en las haciendas, inquirieron nuevamente sobre las minas y los escondites de oro, inútilmente.

La acuarela del crepúsculo se opacó violentamente. La sombra de los cerros llegó y, avanzando como una gran mancha, fue a tapar también el valle.

Las gallinas comenzaron a buscar las ramas de los ciruelos. Los cerdos, de la más ínfima clase —largos y puntiagudos hocicos—, procuraban ya el refugio en los jaladizos de las casas y al pie de los *tecorrales*.

De los tres mercaderes, después de haber instalado sus cabalgaduras en una huerta, dos se habían recostado junto a los bultos de sus baratijas, meditativos o dormidos, mientras que el guía se fue por los callejones.

Y la noche se derrumbó sobre el caserío. Desapareció el verde lejano de las serranías, las que se recortaban sobre el cielo. Las casas se convirtieron en pardos conos, sin más señuelo para los ojos que la luz de los fogones rayando verticalmente las junturas de las empalizadas.

Anocheceres tristes de ranchería indígena; bultos grises, en cuclillas, a la puerta de las casas. Mujeres que ya vuelven del pozo, con la tinaja en la cabeza. Aplaudir sordo de las que hacen tortillas. El niño, somnoliento, que llora incansable porque la madre no lo aupa. Lejos, el grito de la gallina de monte y el ladrar del perro milpero. En las goteras de las casas, el vuelo curvilíneo de los murciélagos.

El guía se detuvo en una puerta, a pedir agua. Cuando el perro, furioso, acató a su dueño y cedió el paso, mientras le servían el agua, el hombre echó un ojo al interior. En un *tlapextle* estaban tres muchachos cobrizos, durmiendo casi amontonados; dos, más crecidos, lo miraban desde un rincón, con grandes ojos asombrados; junto al fogón, cenaba otro; el hombre sostenía en un brazo al penúltimo; y la mujer, para poder desempeñar su trabajo en el *metate*, llevaba a cuestas el más pequeño.

El intruso, después de beber, expresó su asombro a la vista de tanta prole. El indígena, sonriendo, se justificó con una sugerencia:

—Sí, muchos hijos... Es que el ocote o la vela se acaba muy temprano y, ya en la oscuridad, ¿qué hemos de hacer nosotros los pobres?

Como, a tiempo que se despedía, la mujer se puso de pie, la figura de ella no pudo menos que hacerle recordar el decir: "linda pollada; y, la gallina, echada..."

Al extremo del callejón y a la puerta de una casucha, un indio viejo, teniendo entre las piernas una arpa más vieja que él, tocaba en sordina un ingenuo acorde sugerente de una danza sencilla. Adentro, sus hijos desgranaban mazorcas de maíz; y las mujeres, al parecer sin otra ocupación, molían en el metate.

Era tan acallada la música, que a unos cuantos pasos ya no se la oía. En las noches de lluvia, cuando en las charcas hacen escoleta las ranas, sin duda no podía distinguirse el concierto de éstas y las notas del arpa.

En algunas casas ya se había extinguido la luz. El guía sonrió al recuerdo de la causa que se le diera sobre los muchos hijos, entre los naturales, secreto aplicable a todos los pobres.

Y fue a unirse con sus amos.

*

A la luz de un ocote y de la luna, los mercaderes cenaron en el corredor. Los naturales se admiraban al ver cómo abrían pequeñas cajas metálicas de las que sacaban sus comestibles. El viejo de la casa los obsequió con tortillas calientes y con un plato de barro casi lleno de chile. En cambio, sus huéspedes le dieron unas tajadas de jamón. El anciano mostró el obsequio a su mujer y a sus hijos, pero nadie lo probó, prefiriendo el grano de sal envuelto en un pedazo de tortilla y después una mordida al picante. Dientes perfectos, por herbívoros.

Cuando los forasteros tendían sus camas en el corredor, el intérprete explicaba una vez más:

—¡Sin duda lo saben, pero es tan difícil arrancarles sus secretos! Desde niños reciben la tradición y el mandato de guardarla. Yo sé de un extranjero que quiso obtener el secreto de cómo los naturales atacan la calvicie, pues no hay indio calvo —una hierba que crece en ciertos lugares de la sierra— y el poseedor del secreto se dejó matar antes que revelarlo.

—¡Veremos!

Lejos, sonaba una chirimía monótona y triste, algo así como un grillo.

MESTIZAJE

En la ranchería se anuncia el amanecer con el brillo de los fogones, a través de las empalizadas de las casas. Es que las mujeres comienzan a alistar lo que será desayuno y almuerzo de sus hombres. Encendida la lumbre, salen con la canasta del *nixtamal* puesta en una mano alzada en forma de repisa, y llevando la tinaja vacía en la cabeza. Se dirigen al manantial, que brota de las raíces de algún frondoso *jalamate*. Después de humedecerse brazos y cara, lavan el maíz cocido y llenan la olla. Mientras tanto, los hombres, todavía en medio de la penumbra, afilan el machete en las piedras de grano clavadas en la tierra del patio.

Después, ya se oye el aplaudir con que las mujeres confeccionan las tortillas. El hombre toma los primeros alimentos, sentado junto a la lumbre. Parece que rumia lentamente, sin decir palabra: es de los que se marcharán a sus propios trabajos. Los que tendrán que estar a la salida del sol en las haciendas y los que tienen algunas *faenas* encomendadas por la autoridad del pueblo, esos se desayunan violentamente.

Mientras la mujer alista los alimentos del mediodía: tortillas, un picante y unos granos de sal, el hombre vuelve a afilar otra vez el machete, en la piedra clavada, como sin objeto, en el suelo.

En las huertas cantan, gangosos, los gallos *chinamperos*. Poco después, por las distintas veredas, todavía entre las penumbras, parten los trabajadores, en silencio.

*

Las veredas se convierten en trilladeros apenas perceptibles. Son como las arterias: gruesas en su nacimiento y capilares en sus extremos.

Los indígenas se dirigen ágilmente hacia sus trabajos diarios. Unos caminan bajo el bosque y, al llegar al claro hecho durante varios días de esfuerzo con el machete y el hacha, cuelgan de un arbusto orillero el morral de las provisiones, para reanudar la obra de echar por tierra el bosque. Cuando, después de algunos soles, *la roza* ya está bien seca, le ponen fuego. La tierra nueva y el abono de la ceniza son las mejores promesas de una buena cosecha.

En otros días, cuando las matas ya verdean en ondulaciones de hojas mecidas por el viento, los indígenas, agachados en mitad de los surcos, arrancan las hierbas que roban al maíz el jugo de la tierra. ¡Qué fuego en las espaldas humilladas, bajo un sol enrojecido de canícula! Como consuelos únicos: el vientecillo, que a ratos seca las frentes sudorosas, y el *guaje* del agua, diciendo quién sabe qué cosas al ser besado.

Más allá, en el ir de los días, la cosecha, cuando los naturales se organizan afanosamente para recoger con toda prontitud los frutos, ante el temor de que las aguas próximas invaliden los esfuerzos sufridos. Entonces hay alegría y hasta las mujeres regresan encorvadas bajo el peso de la carga y del hijo.

Los otros, los que van a jornalear en las haciendas, esos caminan mucho más, día a día. Al salir el sol, ya están a la orilla del rastrojo o del cañaveral. Si se trata de la siembra, entonces se escalonan como los gimnastas que van a desarrollar un evento en que urge más la precisión y el orden, que la fuerza y el arrojo. El golpe preciso de la garrocha, en el sitio que corresponde a la simetría del sembrado. Del primero, toma la distancia el segundo; y, de éste, el tercero... El mismo y uniforme movimiento del brazo. El mismo ademán para dejar caer los granos, sin que uno solo caiga afuera. Y, luego, el paso largo, que es medida y proporción para la siguiente mata.

Por la tarde, como jornal, unos cuantos centavos y un trago de aguardiente. En los días de hambre, una medida de maíz y, si el amo es generoso, el mismo agasajo de alcohol.

Si se trata de la molienda, el peón se presenta armado de un corto machete, preferentemente el que tiene un gancho en la punta y que ellos llaman *huíngaro*, porque suple a la mano y guarda a ésta de la mordida de la víbora en los sitios más cerrados de hojarasca.

Estos peones se contratan por semanas. De domingo a domingo, esto es cortar y meter caña al trapiche, atizar el horno, cuidar que la miel hirviendo no llegue a los bordes del cazo, dar de comer a los animales de trabajo y envolver piloncillo. Antes del amanecer, a pegar las yuntas al trapiche. Después de haber anochecido, todavía de regreso del aguaje, con los bueyes.

Y al final de la semana, una liquidación que no alcanza ni para la manta con que la mujer haga calzones y camisa a los muchachos, si es que el trabajo no fue en solvencia de una vieja deuda. Siempre la misma desproporción entre el salario y las necesidades: ¡un señuelo que no se alcanza nunca!

Y ésto es cuando los tiempos parecen buenos, porque en otros, cuando se han perdido las cosechas por la falta de lluvia, en todas partes les dicen no haber trabajo.

*

El más joven de los tres forasteros vendedores de baratijas, hecha ya la luz del día, estaba en el arroyo, cerca del manantial, lavándose los peludos brazos. Con sus botas altas, con su pantalón de montar y con su pistola al cinto, en aquel sitio un poco apartado del caserío, infundía tal desconfianza que no pocas mujeres se regresaron sin llenar sus tinajas.

Una muchacha de andar ágil, sin percatarse de la presencia del forastero, llegó hasta el pozo. Hundiendo las manos en el agua corrediza, se las lavó con toda calma. Parecía entretenida en ver su imagen en las aguas. Después se echó puñados líquidos a la cara y se alisó los cabellos de por sí untados, por sobre las orejas. Al inclinarse, al mismo tiempo que le colgaban las negras trenzas, su *quexquémetl* y su camisa, ambos adornados con chaquiras de colores, dejaron al descubierto el nacimiento de los senos.

Cuando, con los pies metidos en la escasa corriente, se los lavaba frotando uno contra otro, reparó en que el forastero estaba a unos pasos, mirándola atento, con unos ojos que, sin necesidad de la expresión que tenían, le inspiraban temor.

El hombre le hizo una indicación, mostrándole el monte cercano. Ella simuló no haber visto. Y cuando violentamente se disponía a ponerse la tinaja en la cabeza, el intruso la tomó por un brazo. Bruscamente pudo desprenderse; pero con el movimiento la olla cayó sobre las piedras, haciéndose pedazos. El hombre le murmuraba algo que ella no entendía; pero le bastaba con verle los ojos y el labio inferior un tanto caído, para comprender y sentir miedo.

Quiso ganar el paso cavado en la pequeña ladera; pero el
hombre se interpuso. Entonces cruzó a saltos el arroyo, buscando
refugio en la otra orilla. El forastero la siguió a todo correr. Desde
ese momento la persecución fue como la que emprende el ciervo
cuando la hembra aún lo repudia por no haber llegado para
ella la época del celo.

La joven corría con una gran ligereza por sobre el pedregal, a
pesar de sus pies descalzos, y el hombre porfiaba en alcanzarla.
Sólo por un instante logró asirla de un brazo, pues se le escapó
de las manos en un supremo esfuerzo. Los ojos azorados de la
muchacha se dirigían hacia las casas, en espera de protección;
pero dominada por el pánico no gritaba, como si el mutismo de la
raza persistiera hasta en tales trances. Al fin se decidió por el
monte, convencida de que el camino de la ranchería se lo cerraba
el perseguidor. Los dos se perdieron a todo correr en una matilla
cerrada.

Y entonces sí se escucharon los gritos, que alzaban ecos en las
serranías. Tal vez la noticia se había anticipado a las voces de
auxilio, porque casi al mismo tiempo cruzaban el arroyo unos seis
hombres que desenvainaban sus machetes y esgrimían garrotes.
Cuando iban a entrar, como perros furiosos tras una presa, al pequeño bosque, de él salió el forastero esgrimiendo su revólver.
Como uno de los naturales avanzaba amenazador a su encuentro,
el blanco hizo algunos disparos al aire, con lo que los vengadores
se replegaron a un lado.

Así, con el arma lista para hacer fuego, el forastero se dirigió
al arroyo, el que cruzó a zancadas; y, luego, a la casa en que se
había alojado, en busca de los otros blancos. La muchacha, por el
otro lado de la matilla, con la cara oculta entre las manos, se dirigió a su casa, seguida por los hombres de su tribu, sombríos, mu-
dos, que habían ido a rescatarla, sin venganza.

*

A causa de lo sucedido, los naturales adoptaron una actitud
rencorosa. Cuando los mercaderes volvieron a exhibir sus baratijas,
ya nadie se acercó. El intérprete fue de casa en casa, ofreciendo lo
que más demanda había tenido el día anterior; pero las puertas

se le cerraron en la cara. A una de las casas fueron llegando los viejos, a tratar sobre lo que la tribu debería hacer.

Entonces resolvieron los visitantes anticipar la exploración por las sierras; pero a las preguntas que hacían apenas si contestaban los naturales. El viejo, en cuya casa se alojaran, tampoco respondía, al parecer con la atención fija en una cesta de bejuco que iba tejiendo lentamente: sentado en un trozo de madera, la cesta cogida entre los pies, las manos moviéndose como grandes tarántulas tejedoras.

El que por su edad y actitudes parecía el jefe de la excursión, increpaba al más joven, echándole en cara su mal proceder, con el que tan sólo había obtenido el disgusto y la hostilidad. El hombre se paseaba nervioso por el patiecillo, mirando de vez en cuando las sierras encarrujadas de follaje.

De pronto se dio un golpe sobre un costado, con el ademán de quien ha encontrado una solución. Extrajo del bolsillo un legajo de papeles y apartó uno. Lo leyó y, luego, dirigiéndose al intérprete, le ordenó que se informara dónde podía hablar con la autoridad del lugar.

El viejo de la casa contestó que no había más autoridad que los *huehues,* los viejos como él: de mala gana señaló una casucha al extremo del callejón, precisamente donde se hallaban reunidos los ancianos, junta a la que él no asistía por temor a que los blancos fueran a cometer otro atropello, con su familia.

Allá fueron el intérprete y su jefe. Al llamado, salió un perro enjuto y de largas y paradas orejas, ladrando. Abrió la puerta un anciano de cabeza completamente blanca y de cara completamente imberbe. En los ojillos negrísimos del viejo no podía leerse absolutamente nada. Era como un ídolo doblado por los años. Únicamente los labios, jalados hacia abajo en ese corte facial de quien llora, denotaban los pasados sufrimientos. Al hablar, podía vérsele una dentadura blanca, ajustada y pareja.

Algunos de los indígenas que ya salían rumbo a sus labores, regresaron a sus casas, en espera de lo que pudiera suceder. Todo era de temerse, a pesar de que en la cara del viejo no había el menor indicio de sobresalto, pues los blancos ponían insistentemente la mano sobre la empuñadura de sus revólveres.

Bien pronto, frente a la casucha, se reunió toda una multitud, en su mayoría compuesta de muchachos. Las mujeres observaban a distancia, asomadas a las puertas de sus casas. Ojos de angustia y curiosidad.

Los perros ladraban insistentes, con la mirada puesta en los forasteros. Era toda una jauría, pues no hay indígena que no tenga un perro, cuando menos. Pero ni un solo ejemplar digno de codicia: todos ellos flacos, enjutos, como fieles representaciones de la miseria tradicional de sus dueños: las huesosas costillas sincronizadas a cada ladrido; orejas paradas como las del coyote; y hocicos afilados en un constante rastreo hambriento.

Sobre la ranchería había un ambiente como el de las noches entenebrecidas por los espantos.

El intérprete le dijo que su amo lamentaba mucho lo sucedido; que reconocía como justo el enojo de todos, pero que el hecho no era más que una locura de la juventud; que el culpable sería enérgicamente castigado y que les pedía perdón.

Como el viejo no contestaba nada, el intérprete, nuevamente instruido por su amo, le advirtió que, si a pesar del perdón solicitado ellos se negaban a darles las facilidades para buscar en las sierras algunas plantas medicinales, tendrían que valerse de una orden de la que eran portadores, firmada por el presidente municipal del pueblo, en acatamiento a órdenes muy superiores.

El antiguo temor, almacenado al correr de los siglos de sumisión, hizo que el viejo hablara, por fin. Preguntó qué era lo que ellos deseaban. Le dijeron que no solicitaban más que un guía, conocedor de los montes, de las plantas, de todo, que los acompañara. Y el papel fue puesto ante los ojos del anciano, inútilmente.

Los caracteres escritos nada decían a sus ojos. Más le intimidaba el papel por sí solo, aun cuando en blanco, porque ya se le había dicho que aquello era una orden: él era sabedor de las consecuencias que para su raza ha tenido siempre el no atender una orden.

Pero no resolvió nada. Adujo que la autoridad no estaba tan sólo en sus manos, sino en las de todos los viejos. Algunos de éstos ya se habían acercado, inquiriendo con la mirada qué nuevo atropello deseaban cometer y entonces en el más viejo de los *huehues*. Otros fueron llamados, y el consejo se instaló bajo un cedro cuya sombra hubiera sido suficiente para una asamblea diez veces mayor.

Hubo airadas objeciones de parte de los menos viejos, diciendo que no era de accederse, sino que más bien deberían ser llamados todos los hombres y darles muerte a los *coyomes,* es decir, a los blancos. Otro de los exaltados expresó con ira que cuantos extranjeros pisaban el lugar sólo era para causarles daños, a pesar de que ellos siempre los habían tratado hospitalariamente y hasta con respeto. Al viejo sólo se le conocía el violento estado de ánimo, por el sentido de sus palabras y por un ligero temblor de las manos, porque su cara permanecía tan inalterable como la de un ídolo de *tezontle.*

A pesar de todo, se impuso la orden escrita en el papel. El más viejo hizo con palabras tranquilas el relato de los pasados sufrimientos, de las fugas por la montaña, de los años de hambre, todo porque la tribu había desobedecido y provocado el enojo de los blancos. Y se convino en proporcionar un guía para que los forasteros recorrieran los montes.

Fue designado un joven que por su estatura, conformación y aire de altivez, era un digno vestigio de una raza que fue grande y fuerte.

ÁGUILA QUE CAE

Los caballos quedaron atados a la sombra de unos árboles. Los tres mercaderes, metidos a exploradores, se alistaban para la expedición, por todo el día. El intérprete colocaba en su mochila los comestibles. El más viejo, metía en un tubo de metal un rollo de papeles, convenciéndose de que en sus bolsillos se hallaba el vidrio de aumento. El más joven, extrajo de su maleta una cámara fotográfica y quiso probar su funcionamiento retratando a uno de los ancianos presentes.

El indígena comprendió de qué se trataba y rápidamente se puso fuera del ojo fotográfico. Es que ellos consideran que un enemigo puede causarles todo el daño que quiera si es dueño del retrato, que el mal que cause a la efigie se lo causa al mismo individuo; como tampoco dan sus verdaderos nombres, seguros de que el maleficio les encuentra fácilmente, si es que el autor sabe cómo se llaman.

En esos momentos llegó el joven que iba a servirles de guía por el monte. Iba con la cabeza descubierta, pues ¿para qué sirve el sombrero bajo las sombras de la selva? Iba descalzo. Llevaba el calzón enrollado hasta la mitad del muslo y con la camisa abierta por el pecho. Con sus ojos de una fijeza asombrada, con sus cabellos negros, lacios y caídos en pinceladas sobre la frente, con los pómulos salientes, con los labios huérfanos de barba fuertemente apretados, era bello.

Se emprendió la caminata. Al pasar el arroyo, el mismo donde por la mañana tuvo lugar el incidente enojoso con la muchacha ultrajada, el jefe de la expedición detuvo a sus compañeros y extrajo sus papeles, el plano en que tenía puesta toda su esperanza de éxito. Durante un buen rato lo examinó, teniéndolo extendido sobre una rodilla. Después dirigió la vista hacia los cerros. Confrontó éstos y los puntos del mapa. Y, luego, como si tratara de cortar el monte con un solo tajo de su mano señaló el rumbo que deberían seguir.

16

El indígena tomó una vereda y tras él se perdieron en el monte los exploradores, a la vista de las mujeres, de los niños y de los ancianos, que asistían a la partida. Bien pronto el jefe de la expedición se opuso a que se siguiera por la vereda, creyendo tal vez que el guía trataba de apartarlos del rumbo señalado. A tiempo que daba instrucciones al intérprete, ejecutaba el ademán de antes: un tajo que partía el monte. El intérprete explicó las cosas al guía y éste desenvainó el machete, comenzando a abrir una angosta brecha para que los demás pasaran por ella.

¡Qué habilidad en el manejo del acero! Con golpes, al parecer suaves, podaba ramas cubiertas de espinas peligrosas a la cara, tajaba trenzados bejucos que impedían el paso y pegaba en los troncos secos, como temeroso de que en ellos pudiera ocultarse mañosamente la víbora que siempre atisba el talón.

Mientras los blancos se detuvieron a observar una planta que les llamó la atención apenas penetraran a lo más intrincado el guía se despojó de la camisa, atándosela a la cintura. Cuando reanudaron la marcha, los que le seguían no pudieron menos que admirar al hombre: cuerpo más bien esbelto que fuerte. Nada de los abultamientos musculares propios de los atletas. ¡Pero qué resistencia en la caminata y en el trabajo! Cuando apretaba el machete para dar un golpe, el antebrazo resultaba un nudo de fibras. Cobre repujado por el sol y el esfuerzo. Estatua en movimiento, hecha de cedro nuevo.

El intérprete, que era el más preocupado y temeroso ante el peligro de ser mordido por una víbora, de las que mucho habían hablado sus amos, pidió al guía que le mostrara la planta benéfica en tales casos. El joven le contestó que no necesitaba preguntarlo, pues que, con observar tan sólo la conducta de las águilas cuando son mordidas por las serpientes, le bastaría para descubrir el remedio. Al menos, eso le habían enseñado los viejos: los animales saben por instinto dónde pueden encontrar su alimento, dónde permanecen más seguros, cuáles son las argucias de sus enemigos, mientras que el hombre no sabe nada. Y como el intérprete insistiera, el guía le mostró la primera planta que se le presentó a la vista.

En un sitio donde el follaje estaba abierto como en un tragaluz, el jefe de la expedición volvió a consultar sus papeles. Aseguró que iban perfectamente y que faltaría otro tanto de lo caminado.

La complacencia del guía tentó la codicia, más que la oportunidad de los exploradores. Como por la noche habían hablado de
que los naturales conocen una planta maravillosa contra la calvicie,
el intérprete fue inducido a hacer la pregunta.

El indígena, después de mirar a las cabezas de sus dirigentes,
contestó que no se explicaba la solicitud, pues que todos ellos tenían mucho pelo. Pero como insistieran aduciendo razones como
la de que el remedio era para un pariente calvo, el guía les señaló
con el machete una planta, de la que los blancos hicieron abundante
cosecha.

Los pájaros de una variedad inmensa no llamaban la atención
más que al joven indígena, quien en ocasiones, para no amedrentarlos, silbaba como ellos. Tampoco los raros insectos despertaban
la curiosidad, excepción hecha de los zancudos que les habían enrojecido el cuello, las orejas y las manos, mientras que el guía no
se daba cuenta de ellos.

Llegaron, por fin, al sitio señalado con más o menos precisión
en el plano, como aquel en que debían hallar la mina o el escondite del polvo dorado de los tributos. El jefe de la expedición no
hacía otra cosa que levantar las piedras que hallaba y someterlas al
examen de su vidrio de aumento. Otras eran partidas a golpes, y
entonces el examen era más minucioso, sin que en las entrañas
aparecieran las ansiadas vetas brillantes, denunciadoras del metal.

Sentados los tres blancos sobre una roca volcánica, sudorosos,
cansados, discutieron y hablaron del plano. Lo que en las líneas
tendidas sobre el papel es de una gran precisión, ya en el campo
es de tal vaguedad que en esos casos se antoja tener presente al
autor del trabajo topográfico. El resultado de la discusión fue el
enérgico acuerdo de que la mina tendría que ser hallada.

Pero como el sol metía perpendicularmente chorros de luz por
entre el follaje y la caminata había abierto el apetito, antes de proseguir la búsqueda, resolvieron comer. De lo que sobró, una lata
en cuyo fondo había quedado un pedazo de carne en aceite, se le
dijo al indígena que comiera; pero él sonrió agradecido, sin aceptar, y dio fin a la tarea de seguir escarbando con un trozo de
madera el túnel de un hormiguero.

Como la digestión y el calor no eran propicios para mayores
caminatas, el intérprete sugirió la idea de recurrir de una vez al
indígena, para saber el sitio preciso de la mina o del escondite del
oro. El jefe de la expedición se opuso, diciendo que era necesario

agotar primero todos los medios pacíficos, pues que aún abrigaba la esperanza de que sus papeles le dieran la clave.

Al reanudar la marcha, el guía notó que sus acompañantes ya no caminaban con el mismo entusiasmo, al grado de que, a indicación de ellos, tenía que esperarlos frecuentemente, a pesar de que él perdía tiempo en ir abriendo paso. El rumbo tomado nuevamente era el de un alto cerro que mostraba en un flanco un enorme lienzo de canteras, algo así como un cantil donde acaso las aguas, sublevadas en los primeros días del mundo, batieron insistentemente. Al pie del acantilado, la escasa vegetación permitía descubrir un punto oscuro, como la entrada de una cueva.

El sitio podía ser comprendido en la zona señalada en los planos. El jefe de la expedición creyó haber dado con el lugar apetecido: sin duda aquella cueva fue el escondite de los tributos en oro, o tal vez la mina, pues su escasa experiencia en esos achaques le sugería la semejanza del lugar con otros donde los trabajos de minería se han visto ampliamente recompensados con hallazgos de ricas vetas.

El ascenso fue difícil, primero por entre los bosques que adelantaban sus avanzadas hasta las estribaciones; después por cerrados matorrales de vegetación áspera; y, luego, por la plena ladera, toda ella sembrada de piedras volcánicas de las que, de vez en cuando en las temporadas de lluvias, se desprendían de la parte más alta. El guía trepaba con una gran agilidad, pero los que le seguían se auxiliaban entre sí, dándose las manos. En el paso más difícil hicieron que el indígena los ayudara con una larga soga que el intérprete se quitó de la cintura.

Agotados, llegaron hasta un enorme hoyanco situado en un extremo de los cantiles y que desde el bosque era completamente invisible. Era como un valle minúsculo donde no había más vegetación que una ceiba cilíndrica y que, en forma caprichosa, mostraba extendido a poca altura uno de sus brazos.

Mientras descansaban sentados junto al tronco de simétricas espinas semejantes a tachuelas de gran cabeza, contemplaron el panorama: a sus flancos, se desdoblaba la sierra en grandes facetas; pendientes que parecen trampolines de gigantes; por sobre los cerros otros cerros distantes; toda una sucesión de alturas; y entre ellas, perdidas las esperanzas de dar con lo que ha guardado celosamente la tradición.

Lo único que faltaba por explorar era el agujero descubierto desde el bosque. Estaba a unos cien metros; pero perfectamente defendido por la barranca y los amontonamientos de piedras, siempre amenazando derrumbes. Lejos, en los valles, los ríos parecían víboras plateadas que inmóviles se calentaban al sol. El joven indígena, recargado en una enorme piedra de filosas aristas, también contemplaba la lejanía, respirando tan tranquilamente como si no hubiera desarrollado el menor esfuerzo en la subida.

Pasada media hora resolvieron dar término al ascenso. Ayudados con la soga y por el indígena que fue el primero en llegar a la boca de la cueva, los tres hombres se asomaron al túnel. Cuando habían penetrado algunos metros y encendieron un cerillo para poder caminar en las sombras, algunos volátiles les dieron en el pecho, huyendo de quienes les invadían su refugio. Eran murciélagos de gran tamaño.

Bien pronto dieron con el fondo de la cueva. De regreso a la luz examinaron lo que habían recogido en las sombras: lo que ellos creyeron que era polvo de oro no era más que inmundicia de los murciélagos. Las piedras que tomaron para examinarlas detenidamente, eran tan vulgares como las mismas peñas que habían escalado con tantos trabajos. Los tres hombres se miraron con la decepción pintada en las caras sudorosas, en tanto que, en la parte más alta del cantil, los cuervos se columpiaban gritando a sus hijos.

No sin dificultades, emprendieron el regreso al vallecillo en cuyo fondo crecía solitaria la ceiba, donde momentos antes descansaron. El más viejo de los expedicionarios, dirigiéndose a los suyos, les mostró el vasto panorama que tenían a la vista, todo hecho de cumbres, pues la barrera que les flanqueaba del lado del precipicio les impedía ver el valle e impedía también que se les viera desde el rancho. El gesto del blanco no podía ser más desesperado. Era como la rectificación a la voluntad que mostró cuando organizaba el viaje, cuando aseguraba que ni el recodo más escondido de la sierra se escaparía a su ojo, en busca de lo que él consideró siempre como su tesoro. A distancia, esas caminatas parecen fáciles, pero qué distintas cuando las piernas se doblan de cansancio, cuando el sol pica en la espalda y las rugosidades del terreno parecen no tener fin.

Colérico, ordenó al intérprete que preguntara al guía sobre la causa verdadera de la expedición. Que con toda franqueza le expresara que no eran hierbas medicinales las que buscaban, sino minas y el escondite del oro en polvo, el de los tributos recibidos por los antecesores. El intérprete interrogó al indígena y éste apenas sonreía sin decir nada. El intérprete insistió, diciendo que las tradiciones eran puestas en los labios de los niños y que él, ya un hombre, sabría sin duda alguna toda la tradición. El indígena volvió a mostrar sus dientes de blancura herbívora, y dijo no saber nada.

Por indicación del viejo, el intérprete agregó que, de hallar los tesoros, él disfrutaría de una buena parte, pero el joven repitió con el mismo acento y con la misma sonrisa, no saber nada. Ya dominado completamente por la ira, el viejo se alzó de donde estaba sentado y, antes que el indígena pudiera moverse, le puso en el pecho el revólver. El joven no se inmutó, acaso ajeno al peligro, aunque el martillo se iba alzando poco a poco bajo la presión de la mano temblorosa de cólera.

—¡Dile que hable, o lo mato!

—Es mejor que hables —le dijo el intérprete— porque este *cóyotl* es capaz de matarte.

El indígena guardó silencio, como indiferente al peligro. El jefe de la expedición ordenó, entonces, que se le ataran las manos por la espalda, para lo que fue empleado un cinturón. Después dijo que la soga fuera lanzada por sobre la rama de la ceiba y que se echara un nudo corredizo al cuello del guía.

Considerándolo ya completamente seguro, enfundó el arma y ordenó al intérprete que insistiera nuevamente, creyendo que los preparativos de tormento hubieran causado más efecto que la presencia de un revólver. La inutilidad del procedimiento violentó el propósito: los tres hombres tiraron del extremo de la soga, y el joven fue levantado a un metro del suelo. Al ser bajado, se bamboleaba como un ebrio. Acaso se hubiera derrumbado si la soga no lo retiene de pie.

—¡Habla! —le dijo el intérprete.

Y, como no respondiera, fue alzado nuevamente y sostenido, por más tiempo, en el aire. Cuando presentó los primeros síntomas de la estrangulación, fue bajado otra vez; pero, como entonces sus piernas ya no podían sostenerlo, hubo necesidad de que la soga fuera abandonada completamente. La cara amoratada no revelaba sufrimiento. Sólo las manos, sometidas a la espalda, tenían un temblor. Fue el intérprete quien lo libró del lazo. Puesta una rodilla en tierra, comenzó a interrogarlo, imperativamente, y después con voz de convencimiento y lástima.

Los ojos del joven, tan tranquilos como al sonreír a las preguntas previas al tormento, se movieron circularmente, estudiando cuanto le rodeaba. Su silencio exasperó a los expedicionarios y, tal vez para resolver lo que más les convendría, se apartaron un poco, hablando en voz baja.

Cuando estuvieron a regular distancia, el indígena, aunque maniatado, se levantó ágilmente, corrió hacia el parapeto, subió por él de dos saltos y ganó la pendiente.

Los tres hombres corrieron también. Desde la parte saliente, como desde un balcón, vieron cómo el indígena saltaba cuesta abajo, en ocasiones resbalando como un tronco lanzado de punta desde la cumbre. Pero, no contando con el equilibrio de los brazos, el fugitivo dio una voltereta. Desde ese momento fue rodar y dar tumbos sobre las grandes rocas que en la pendiente parecían almenas desiguales, hasta que se perdió de vista en las primeras malezas.

Los blancos estuvieron, tal vez perdidos en los montes cuando trataron de regresar solos a la ranchería, porque llegaron hasta al amanecer. Dijeron que el muchacho estaba por llegar, también. Y con toda precipitación ensillaron sus caballos y *aperaron* la mula, partiendo sin pérdida de tiempo.

GUERRA

En algunas vueltas del camino, por la pendiente que habían tomado de regreso los forasteros, aún se les miraba aparecer y desaparecer. Como a la llegada del día anterior, llevaban por las riendas sus cabalgaduras. En esos momentos llegó a la ranchería el *cuatitlácatl*, hombre de monte, joven cazador.

Dijo a los viejos que él se hallaba al pie del cerro preparando un *tlapehual*, una trampa, a los tejones, cuando oyó que por la pendiente rodaba algo extraño, distinto a las piedras que se desprenden de la montaña en las temporadas de lluvia.

Fue a ver qué había sido la causa del estrépito y halló al guía de los blancos, todo herido, atado por las manos e inmóvil. De no haber hallado en su rodar una gruesa matilla, hubiera seguido rebotando quién sabe hasta dónde.

Lo sucedido el día anterior con la muchacha, el regreso violento de los forasteros y su partida no menos precipitada, bastó a los naturales para suponer la verdad. En confirmación de la sospecha, el *cuatitlácatl* agregó haber interrogado al herido y que éste abrió apenas los ojos y pudo pronunciar una palabra:

—¡*Coyome!*

Eso bastaba. El joven había sido lesionado por los blancos. Uno de los viejos, al oír lo que había sucedido a su hijo, comenzó a gritar, culpando a los *huehues* de todo, pues que ellos dispusieron que el muchacho acompañara a los forasteros. Sus voces fueron como el llamado a la guerra. Todos corrieron a sus casas en busca de sus armas. Algunos aparecieron desenvainando los machetes; otros salieron con una herramienta agrícola; y hubo quienes se presentaran esgrimiendo un *chuzo* de pescar, a manera de lanza.

Los adultos, todos los que a esa hora aún no se marchaban a sus trabajos, se adelantaron vociferando. El grueso del ejército fue compuesto por los viejos y por los muchachos. Atrás iban las mujeres con sus hijos más pequeños, todos juntando piedras para combatir.

Para ganar tiempo y distancia, atravesaban montículos, cruzaban breñas y se dirigían diagonalmente en la pendiente, rumbo al paso más difícil de la vereda. Bien pronto la multitud se colocó a la misma altura que los forasteros, cuyos caballos bajaban con grandes dificultades por el terreno pedregoso. Se hallaban precisamente a la mitad del descenso.

La lucha se inició con alaridos y con una lluvia de piedras lanzadas de diversos lugares. Los forasteros se replegaron a un sitio acantilado, en tanto que los naturales se posesionaron de varias alturas, poniendo un cerco a los tres hombres. Las piedras, lanzadas por las hondas, zumbaban en el aire. Un chuzo enviado con una gran certeza, tocó la frente del intérprete y fue a clavarse en el anca de un caballo.

Parecía que los fugitivos no deseaban oponer resistencia, temerosos de una agresión más decidida. Se concretaron a protegerse tras las cabalgaduras y en los parapetos naturales del lugar. Cerca de ellos se formó bien pronto un pedregal menudo, como resultado de la lluvia de los proyectiles indígenas. Al más joven de la expedición le sangraba la cabeza, a causa de un pedrusco recibido. En tal situación pasaron las primeras horas.

Cuando los naturales armados de machetes iban a dar el asalto, los blancos hicieron los primeros disparos con sus revólveres, lo que obligó a los atacantes a retirarse un poco. Las siguientes descargas, al parecer, sólo tuvieron por objeto amedrentarlos, no sin que aquellos provocaran otros disparos, con el propósito de agotarles el parque.

Durante una tregua, los tres hombres sitiados deliberaron a la vista de sus enemigos. Tal vez resolvieron romper el cerco, valiéndose de los escasos cartuchos que les quedaban. Una nueva gritería se alzó cuando los naturales los vieron montar y dirigirse por la vereda, hacia abajo, taloneando los ijares de sus bestias.

Otra lluvia de piedras, mucho más nutrida y certera, cayó sobre los fugitivos, quienes ya no contaban con el refugio de antes. Pero las armas de fuego se impusieron a la honda y al chuzo. La gritería de los naturales creció más, al ver que sus enemigos escapaban. Y entonces surgió la inventiva de la guerra. Comenzaron a desprender de la pendiente grandes piedras que echaban a rodar, con la esperanza de que alguna de ellas, en su trayectoria, se los llevara de paso.

Los enormes proyectiles partían a grandes saltos, cuesta abajo, llevándose a su paso los arbustos y otras rocas. A cada envío de tales proyectiles, los blancos se cubrían la cabeza con el antebrazo, como si esa actitud pudiera protegerlos. Cada una de las rocas que pasaba por sobre la cabeza de los tres hombres e iba a caer al abismo, dando tumbos, provocaba entre los naturales una regocijada gritería, creyendo haber logrado ya su intento.

Aunque no de las mayores, una de las rocas lanzadas a la pendiente fue la más certera. Así lo consideraron los naturales, pues desde su partida provocó una gran algazara. Después la atención de todos se reconcentró en su marcha. Se hizo un silencio completo y la roca pasó por sobre una de las cabalgaduras.

A su paso se llevó al jefe de los expedicionarios, al parecer delicadamente, sin tocar siquiera al caballo. Al golpe, el hombre saltó por delante del proyectil, como salta la mosca cuando el muchacho le da hábilmente con un resorte.

Cuando en el fondo de la barranca dejaron de sonar los últimos rebotes de la roca, los naturales reanudaron su gritería. Y gritando, contentos de haber tomado venganza, regresaron a sus casas.

*

Durante aquella noche hubo agitación en la ranchería. Así lo demostraba el que los viejos se hallaban reunidos y que en torno de ellos se aglomeraran los vecinos, produciendo un zumbar de colmena alborotada.

Los que apenas regresaban de sus trabajos, eran enterados de lo sucedido. Tanto los que habían ido a sus propias labores, como los que venían de jornalear en las haciendas del valle y los que habían terminado su semana de domésticos al servicio de los poderosos del pueblo, después de enterarse, emitían su opinión, aunque sin valor alguno, pues la que prevalecería no era otra que la de los *huehues*.

Fue uno de los últimos el que aportó el más importante de los informes. Cerca del pueblo había encontrado a dos blancos a caballo. Uno de ellos llevaba por el cabestro una mula de carga, mientras que el otro guiaba a una montura sin jinete. Eso demostraba que en la fuga, los buscadores de oro habían dejado abandonado al que la roca arrebató cuesta abajo, tal vez sepultado por el mismo proyectil en el fondo de un barranco.

Los viejos siguieron pensativos durante un largo rato. No cabía duda: el blanco había muerto y, por lo tanto, eran de esperarse las represalias. El papel que les habían mostrado los forasteros, como una recomendación de la autoridad, era la mejor prueba de que contaban con influencias. Y, así como habían obtenido una recomendación, así los supervivientes obtendrían una orden para capturar y castigar a los autores del homicidio.

El más viejo de los *huehues* se levantó de la piedra en que había permanecido sentado. A las últimas luces del día y a las primeras de la luna, que se alzaba como un amarillo *chimal,* echó un vistazo sobre los congregados.

De faltar algunos, fueron muy pocos. El viejo hizo un ademán indicando que se acercaran los más distantes. En la penumbra de la hora, todas las caras, del mismo color y con los mismos rasgos, resultaban iguales, como si las hubiera fundido el mismo impulso, causa de la reunión.

Inmediatamente se hizo el silencio. El viejo dijo que, aun cuando la razón estaba de parte de la ranchería, los del pueblo iban a cobrarse la venganza. Como en otras ocasiones, la muerte del blanco sería el pretexto para aniquilarlos, para despojarlos.

Explicó que era llegada una nueva época de sufrimientos, de la que sólo podrían librarse si presentaba una acción conjunta toda la tribu, como conjunto había sido el castigo aplicado al blanco. Él y los demás viejos, con ser de la ranchería y haber presenciado el hecho no podían decir quién empujó la roca que, bajando a grandes saltos por la pendiente, causó la muerte. Además —clamó con gesto rencoroso—, entregar al vengador sería lo mismo que ofender a las mujeres ultrajadas en la muchacha perseguida; como ofender también a los hombres, heridos en el joven, quien, al servirles de guía por los montes, encontró la desgracia.

Y acabó por expresar su plan de campaña: abandonar la ranchería; refugiarse en los montes, como en pasadas épocas de persecuciones; presentar resistencia cuando las circunstancias fueran favorables; cuidarse de las tribus circunvecinas, que siempre han saciado sus odios aliándose con los forasteros; y mutismo absoluto por parte de quienes cayeran en manos de los blancos ¡Ahí su fuerza!

—Nada importa —les dijo— que les quemen los pies para hacerlos confesar cuáles son nuestros escondites. ¡Ni una palabra! Si los cuelgan de un árbol para arrancarles los nombres de quienes tomaron parte en la lucha con los tres blancos. ¡Ni una palabra! Sí les tuercen los brazos hasta rompérselos para que digan dónde tenemos nuestras provisiones. ¡Ni una palabra!

El *huehue* se volvió a los demás viejos y estos ratificaron sus consejos con una inclinación de cabeza, pues que, por boca de aquel, había hablado la lengua de la experiencia. Entre la muchedumbre reinó el más completo silencio. Y en silencio se fueron diseminando todos.

Durante la noche la ranchería se vació de habitantes. Por todas las veredas, a la luz de la luna llena, salían las mujeres con el muchacho a la espalda y llevando en los brazos los enseres de cocina. Tras ellas, los hombres conduciendo de la mano a los hijos, llevando también la red de pescar, el machete y la cobija. Ya en la madrugada, fueron solamente los adultos los que tornaron a salir, acarreando parte de la última cosecha. Al amanecer fueron los ancianos los que desfilaron, después de haber pasado la noche reunidos, lamentando las interminables tribulaciones de la raza.

CASTIGO

Los funcionarios del pueblo, después de haber avisado a la superioridad lo sucedido, organizaron la expedición violentamente, pues la respuesta fue ordenando que se castigara a los culpables. La columna fue integrada por los policías, por algunos de los vecinos más resueltos y que se prestaron de buena gana, así como por el profesor de la localidad y por el secretario del presidente municipal. Éste, montado en su mejor caballo, encabezaba la pequeña tropa.

En un sitio adecuado, la expedición se dividió en tres grupos, bajo la advertencia de que, al pisar sus sombras, todos deberían hallarse en las afueras de la ranchería. Se trataba de cerrar todos los caminos por donde pudieran escapar los naturales, algo así como si hubieran querido ponerle puertas al monte.

Los que avanzaron por los sitios más escabrosos, dejaron sus cabalgaduras y siguieron a pie. Todos llevaban listas sus armas, como que las órdenes del presidente municipal eran muy enérgicas: fuego a los que huyeran y exterminio en caso de resistencia. La mayoría lamentaba el mal estado de los caminos, culpando a los naturales de no haber mejorado en tantos años sus vías de comunicación. Por primera vez el presidente municipal pisaba aquellos lugares, percatándose de la miseria en que vivían aquellos a quienes iba a perseguir.

Dadas las señales convenidas, con un cuerno a falta de corneta, los grupos entraron a la ranchería sin que habitante alguno pasara por los callejones o al menos se asomara a las puertas. Las casas permanecían cerradas. Ningún indicio revelador de la presencia de los naturales.

Apenas si algún gato, animal que se encariña con la casa y no con sus dueños, saltó sobre un *tecorral* y escapó rumbo al monte. La inmovilidad de los árboles, en los patios y en las huertas, parecía sumarse al abandono en que los naturales dejaron sus hogares. El mismo aspecto que en las rancherías de indígenas dejan tatuado las epidemias cuando, por la incuria, la ignorancia y la falta de auxilios exterminan a sus moradores, prevalecía en la aglomeración de chozas junto a las cuales desfilaba la autoridad.

Los más resueltos a cobrar sus trabajos, sin necesidad de orden alguna, abrieron a golpes las puertas y entraron en busca de los insumisos. No hallando a nadie, tomaban de lo que más les despertara la codicia: un machete, una red, un saco de frijol o de maíz, algo de lo poco que puede hallarse en la casa de un indígena.

La reunión fue en la planadita donde antes, en los días tranquilos, se hacían las fiestas y el *tianguis*. Temerosos de una sorpresa, todos conservaban las armas en la mano, listos para hacer fuego. En vista de la falta de enemigo, los expedicionarios resolvieron tomar un descanso. El presidente municipal, su secretario, el profesor y dos o tres de sus más allegados, tomaron asiento bajo un arbolillo de agradable sombra. En las casuchas pardas que los rodeaban no había nadie, pero el funcionario y sus hombres estaban seguros de que varios ojos penetrantes los miraban desde las fronteras serranías.

Movidos por esa convicción, un grupo comenzó a disparar sus armas sobre los lugares más cerrados de boscaje de la cercana sierra. Las diez o quince armas disparadas al mismo tiempo producían un ruido ensordecedor cuyo eco iba rebotando por largo rato de cerro en cerro. Lo más fácil era que los proyectiles se perdieran sin llenar su objeto, en la inmensidad del paisaje; pero a lo mejor alguno dio en el indígena escondido en su choza no menos escondida. Al menos esa era la intención de los que disparaban.

Tal vez los estallidos espantaron a un gato, que cruzó a todo correr un callejón. El secretario del presidente municipal, a falta de indígenas en quienes vengar las molestias de la jornada, le apuntó con su arma. Disparó, pero el animalucho, tan sólo dio un salto grotesco, y continuó la carrera. El secretario, para no verse defraudado en su fama de buen tirador, dijo que sin duda había sido certero, pues el salto así lo estaba revelando; pero que, como los gatos tienen siete vidas...

Pasado un momento, de una de las casas comenzó a salir una densa humareda y, con ella, algunos de los expedicionarios. Bien pronto el fuego dio fin hasta con las paredes mejor dicho con las empalizadas mal cubiertas de barro gris. De la casa huían algunos insectos voladores y las ratas.

Por fin la casucha se vino a tierra. Sólo por las distancias que había entre el incendio y las demás chozas, el fuego no se propagó. Los testigos del siniestro lo celebraban con gritos y risas.

El secretario, que parecía no resignado a que se le arrancara del pueblo donde a esa hora acostumbrara jugar al billar, comenzó a decir que los indígenas son insubordinados, holgazanes, borrachos, ladrones. El presidente, hombre de las mismas ideas, agregó que los naturales son un verdadero lastre para el país.

—¿De qué sirven si son refractarios a todo progreso? ¡Han hecho bien los hombres progresistas y prácticos de otros países, al exterminarlos! ¡Raza inferior! ¡Si el gobierno del centro me autorizara, yo entraría a sangre y fuego en todos los ranchos, matando a todos, como se mata a los animales salvajes!

Esto lo dijo, despechado, porque entre sus proyectos había figurado el de llevarse unos cincuenta indígenas prisioneros. Y éstos se les escapaban. Repitió:

—Sí, señores: ¡como se mata a los animales salvajes!

Y al expresar su deseo ejecutaba con su mano derecha el movimiento propio de cuando se tira del gatillo de una arma de fuego.

El profesor, recostado contra el tronco del arbolillo, había oído con paciencia todos los desahogos. Comenzó a decir:

—Pues, yo opino de distinta manera. Sobre esta cuestión de los naturales hay muchas tesis. De ellas voy a hablarles, reservando para lo último la mía. Unos creen que es necesario colonizar con raza blanca los centros más compactos de indígenas, para lograr la cruza. Los partidarios de esta medida se fundan en que de esa cruza hemos salido nosotros, los mestizos, que somos el factor más importante y progresista. Hacer con ellos lo mismo que con los animales descastados: cruzarlos con ejemplares superiores.

—¡Buen papel quiere usted encomendarme a mí, señor profesor!

La protesta del alcalde no interrumpió al profesor quien siguió diciendo:

—Otros consideran que el problema puede ser resuelto por medio de la escuela. Fundar escuelas por todas partes. Y hasta se ha dicho que ya se ha logrado mucho, pero es que en la ciudad se confunde, en la sola palabra "campesino", al indio y al mestizo, sin pensar que éste, por su lengua y por su inclinación, está con nosotros, mientras que aquél está más allá de una fuerte barrera, la del idioma y sus tradiciones. Los que sostienen esta idea han creado la palabra "incorporación", sólo que para ello hace falta algo más que la escuela.

El alcalde refutó:

—Esas son ideas sentimentalistas. ¡Edúquese al indio y veremos después quién cultiva la tierra! De no exterminársele, es necesario dejarlo en el estado en que se halla, trabajando para los que física e intelectualmente somos superiores. La prueba de que no son susceptibles a cualquiera acción pacífica, es que los de aquí han huido antes que acatar las disposiciones, que son de orden y justicia.

—Allá va mi teoría, señor presidente —dijo el profesor—. El hecho de que hayan huido a lo más abrupto de la sierra, demuestra que no nos tienen confianza, que aun cuando se les hubiera dicho que sólo venía la autoridad a practicar una averiguación, de todas maneras no nos hubieran esperado. Eso es la verdad: nos tienen una profunda desconfianza almacenada en siglos. Siempre los hemos engañado y ahora no creen más que en su desgracia. En cada uno de nosotros ven un verdugo. La escala de esa desconfianza la encuentra usted desde la tierra más baja, en el valle, a la orilla de los ríos, hasta la cumbre más alta de las montañas. Cuando ellos eran libres vivieron donde nosotros vivimos ahora. A medida que se les explotó y se les engañó fueron subiendo por la sierra, como si huyeran de una inundación, hasta llegar donde ahora se hallan, allá donde creen que nosotros, hechos a la holganza, no podemos llegar!

—¿Y su teoría?

—Mi teoría radica en eso precisamente, en reintegrarles la confianza. ¿Cómo? A fuerza de obras benéficas, pues, por fortuna, el indio es agradecido; tratándolos de distinta manera; atrayéndolos con una protección efectiva y no con la que sólo ha tenido por mira conservarlos para sacarles el sudor, como cuidamos al caballo que nos carga; y, para ello, nada como las vías de comunicación, pero no las que van de ciudad a ciudad, por el valle, sino las que enlacen las rancherías; las carreteras enseñan el idioma, mejor que la escuela; después el maestro, pero el maestro que conozca las costumbres y el sentir del indio, no el que venga a enseñar como si enseñara a los blancos. Con ello labrarán mejor la tierra, la que ya tienen, o la que se les dé.

Unos gritos dados en el portal de una casa donde se había instalado otro grupo de expedicionarios, cortó el ademán del profesor, con que iba a seguir su disertación. Todos dirigían los ojos a un claro que en la sierra más próxima parecía un timbre postal. Al-

gunos, ya preparaban sus armas para hacer fuego. Era que un indígena cruzaba a todo correr aquel campo: tal vez era un cazador.

El alcalde se levantó de un salto y alzando la mano por sobre
la cabeza, como para contener un golpe, les gritó a sus hombres:

—¡No tiren! ¡No tiren!

Todas las miradas siguieron la morena figura que en la sierra
salía del campo despejado y ya entraba a la maleza. Cuando el
alcalde volvió a sentarse, dijo:

—Jamás me platicó de estas cosas, profesor. Su teoría ha influi-
do en mi ánimo, al grado de arrepentirme de esta persecución. Me
duele la orden recibida de la superioridad y ejecutada con tanto
entusiasmo por mí. En la ciudad, según he sabido, se habla mucho
del sacrificio del blanco que vino en busca de plantas medicinales
para bien de la humanidad, y que mataron los salvajes. Parece que
hasta ya se piensa en levantarle una estatua y darle su nombre a
una calle. Sin embargo, yo tengo la íntima convicción de que algo
hicieron ellos a los naturales, para que éstos se resolvieran a atacarlos, pues no se puede negar la paciencia de la raza, la raza
nuestra, ¡nuestra raza!

El secretario, al oír hablar así al presidente, dio un salto de
donde se hallaba tendido y, plantándose nervioso ante los demás,
les dijo:

—¡No puedo menos que extrañarme del cambio registrado en
usted, señor alcalde, sólo por las palabras del profesor! ¡También
usted habla ya de la raza, de nuestra raza...! ¡Será la de usted,
porque yo no tengo nada de ella! ¿Dónde están las características
de esa raza? ¡Son tribus! ¡Sí, señor, tribus aisladas, aunque numerosas!

El profesor, sin darse por vencido, comenzó a argumentar.

—El aislamiento en que se hallan por la inmensidad territorial,
por la falta de vías de comunicación o por la imposibilidad de con-
servar lazos que destruyeron la ignorancia y la servidumbre, no
implica la destrucción racial. La raza, con sus tradiciones, tal vez
desvirtuadas, con sus rasgos fisonómicos, con sus costumbres y con
su espíritu, aunque un mucho debilitado por la servidumbre y el
tutelaje explotador, existe y sólo le falta que se la redima.

—¡Palabras, hombre! ¿Cómo va a ser raza si los de aquí hablan
una lengua distinta a la que hablan los que viven ocho jornadas
al poniente y éstos no entienden el idioma —mejor dicho el dia-

lecto— de los que habitan cincuenta kilómetros al norte? ¡Son tribus!

—Descendientes de un solo tronco: una raza, aunque hablan distintas lenguas.

—¡Vaya, una raza fraccionada, casi dispersa, sin lazos entre sí, desconociéndose en lo absoluto, sin saber en qué parte del país hay otros hombres que siquiera entiendan sus palabras!

—En contra le pondré un ejemplo: ¿para que haya una raza de perros perdigueros, es necesario que éstos sepan donde existen otros a su semejanza, y que se cambien correspondencia?

—¡Eso es muy distinto! ¿Qué hay de común entre el otomí, habitante de la Mesa central, que combate el frío bebiendo pulque y durmiendo en la ceniza, que vive en jaladizos techados con desperdicios de maguey y que come sabandijas, con el totonaco de limpias costumbres y brillante pasado? ¿Qué afinidad encuentra usted entre el tepehua taciturno, con el huichole cerril y belicoso? Los mismos habitantes de esta región, descendientes de una rama fuerte, la *nahoa,* ¿saben siquiera el nombre de la ranchería poblada por semejantes suyos, que está al otro lado de la sierra?

—Eso prueba tan sólo que por haberlos tenido nosotros encorvados sobre el surco, no han tenido tiempo de mirar el horizonte.

—Aquí mismo entre las rancherías circunvecinas, ¿existen lazos o intereses capaces de hacer una fuerte unión digna de una raza?

—Porque nosotros nos hemos encargado de sembrar la discordia. Ha sido la política, muchas veces no premeditada, la que ha impedido ese entendimiento que muchas veces se ha enunciado con una lucha de castas. Por eso andamos aquí. Y si usted quiere convencerse, señor secretario, pregunte en cualquiera ranchería por los fugitivos y verá si alguien le da razón. Entre sí, podrán estar divididos, pero ante nosotros siempre estarán juntos.

—Pues la historia de la conquista dice otra cosa. ¡Los mejores aliados de los conquistadores fueron los nativos mismos, contra sus hermanos!

—Eso fue otra cosa, como fueron distintas las circunstancias. Y a mí no me hable de historias, que bien las he estudiado y mejor las he vivido: cuando hace años los indios asaltaron el pueblo, yo fui de los defensores. Cuando ellos preparaban el ataque, hubo algunos síntomas, pero ni una sola denuncia. Comenzamos a observar que los naturales no acudían al *tianguis,* que dejaron de jorna-

lear en las haciendas y que los *semaneros* pedidos por la autoridad
no acudían al llamado.

Algunos, que fueron capturados, a pesar de las amenazas y los
procedimientos más efectivos para hacerlos hablar, no confesaron
nada, perteneciendo a rancherías divididas por hondas rivalidades.

—¿Y eso qué prueba?

—Que la idea de sacudirse la tutela nuestra se había extendido
y que ante ella se borraron las pugnas; ¡en una palabra, que la
nantli, la patria de ellos, la raza, tomaba forma! Cuando atacaron
el pueblo, iban poseídos de un insaciable espíritu de venganza.
Ante su furia no hallaban perdón ni los niños, ni los viejos, ni
las mujeres. Todos eran pasados a machete. Ellos querían extermi-
narnos. Después, con el fuego, trataron de borrar hasta el rastro de
nuestros hogares. La matanza fue espantosa. Gracias a la superioridad de las armas y al oportuno auxilio de la tropa, pudo recha-
zárseles. Algunos prisioneros fueron colgados a la orilla del pueblo,
para escarmiento de los demás: todos murieron bravamente, sin
protestas, altivos. La persecución fue encarnizada. Arrasamos rancherías enteras. Casi todos los dirigentes cayeron, al fin, en nuestras
manos, y los colgamos y los fusilamos. Dijeron que el principal,
un joven indio, murió en un encuentro, pero no es verdad.

Por ser el más importante o porque seguía puesta en él la esperanza de la raza, pudo pasar como uno de los caídos en la lucha
y mantenerse oculto en los montes. No pocos aseguran haber visto
a un hombre de piel cobriza, que más bien parece un salvaje,
cruzar velozmente los caminos. Vive de la caza. Se cree que sus
hermanos lo protegen y en el pueblo se ha tenido la versión de que
el raro personaje llega por las noches, furtivamente, a la ranchería, habla con los viejos y antes del amanecer parte al monte, aris-
co, algo así como la encarnación de la libertad.

—¡Cuentos de viejas, profesor!

El alcalde, que ya no tomaba parte en la discusión, parecía
menos fatigado, pues ya no se hacía aire con el sombrero.

De pronto, se levantó y, ordenando que le llevaran su caballo,
se dispuso a organizar el regreso. Los que habían dejado sus cabalgaduras en los diversos lugares de partida, tomaron sus veredas,
mientras que el alcalde y los suyos se dirigieron al camino que
habían traído, ya con la fresca de la tarde, cuando el sol, maduro,
caía más allá de la sierra.

SEGUNDA PARTE

SUMISIÓN

En los callejones de la ranchería creció la hierba y luego fue avanzando hasta las puertas de las casas, como si el monte hubiera pretendido recuperar lo que los hombres le usurparan hacía muchos años. En las noches de luna, el caserío era el mismo de otros tiempos, pero el silencio resultaba mucho más intenso: no se oía ni el cantar de un gallo, ni el ladrar de un perro.

Y en una de esas noches de claridad, en mitad de un espacio frontero a grandes montañas que a causa del mismo silencio resultaban como enormes cajas de resonancia, se oyeron prolongados gritos de un hombre. Los montes, donde las chozas y las cuevas eran como las mil orejas de una tribu fugitiva, escucharon el pregón, y guardaron silencio. Durante todo el resto de la noche se oyeron los gritos y de ellos se entendían algunos conceptos: paz, perdón.

Era un emisario de las autoridades, que proponía el regreso de los fugitivos. Sin duda en los montes hubo excitación, curiosidad y esperanza de paz. Acaso, por en medio de las espesuras fueron los viejos, los emisarios y los guerreros, cambiando opiniones sobre la posibilidad de un arreglo. Pero durante la noche no hubo uno solo de los fugitivos que se presentara en la ranchería para entablar pláticas con el enviado de los blancos.

Ya estaba alto el sol cuando uno de los viejos, no sin tomar grandes precauciones, asomó en el cercano monte, del lado del arroyo, y fue al encuentro del emisario de paz. Hablaron bajo el mismo cedro donde el consejo de ancianos resolvió escapar a los bosques con toda la tribu. El anciano le mostró sus ropas, todas desgarradas, porque durante el tiempo transcurrido las mujeres carecieron de algodón para sus telares. Después, señalando los campos, mostró al emisario lo que antes fue tierra de labor, toda cubierta de hierba: ni una lanza de maíz, ni una mata de frijol.

El emisario, de la misma raza pero de otra ranchería, se dolió de la situación, entendiendo que lo dicho por el anciano era el lamento de una tribu que había sufrido hambre. Explicó que su misión se había retrasado por las muchas dificultades tenidas para ponerse en contacto con la tribu: los del pueblo habían olvidado todo y la autoridad ya no reclamaba castigo alguno por la muerte del blanco.

El emisario no calló las verdaderas causas de las proposiciones de paz. Según lo que él había podido entender, los blancos necesitaban *semaneros,* los hacendados reclamaban trabajadores para sus trapiches de caña, los comerciantes se quejaban por la falta de compradores en el *tianguis* y los habitantes de las demás rancherías habían protestado porque sólo ellos desempeñaban las faenas, en la compostura de caminos destruidos por las aguas: es decir, se les necesitaba y por ello se les proponía la paz.

Para la experiencia del viejo, esas razones fueron más convincentes que todas las promesas de perdón. Consideró factible el entendimiento. Su balance de intereses fue rápido y seguro: si se les necesitaba, no habría dificultad ni temor. Su cabeza blanca bien sabía que los *de razón,* para con ellos, no tienen más que dos ademanes: el de una mano, para ceder; y el de la otra para recibir.

Pero el viejo no resolvió inmediatamente. Dijo no tener autorización más que para oír. El emisario fue citado para la siguiente noche. Los dos hombres se despidieron fraternalmente y mientras uno descendía por el camino, rumbo al valle, el otro subía por las veredas, hacia la cumbre.

Los dos fueron puntuales. Antes de que hablara el viejo, el emisario le entregó un regalo de las autoridades, destinado a todos los ancianos: una botella de aguardiente. La respuesta de la tribu fue afirmativa, aceptando las proposiciones, con la condición de que los blancos no se acercaran, pues que todos los naturales guardaban desconfianza.

Ese mismo día comenzaron a regresar a sus casas, no sin sahumarlas previamente con *copal,* para arrojar de ellas los malos espíritus que se hubieran posesionado durante la prolongada ausencia de los moradores. Intenso trabajo de los hombres, para limpiar de hierbas los patios y los callejones. Qué afán de las mujeres, barriendo sus hogares.

Al siguiente día se recibió del pueblo una orden para que se presentaran unos *semaneros* a trabajar en las casas de los influyentes y para que otros fueran a trabajar en los trapiches de las haciendas.

Y como todos regresaron después de haber cumplido sus tareas sin que los blancos los perjudicaran, la confianza comenzó a crecer donde antes prosperaba la hierba. La tribu volvía a su vida tranquila de aislamiento.

*

Pero en lo económico, durante varios meses, la situación varió muy poco, pues soportaron casi la misma miseria que en el monte. Los campos de labor habían estado sin cultivo y, por consiguiente, no cosecharon nada.

El maíz, conseguido a cambio de trabajo en los ranchos vecinos y en las haciendas, era mezclado con raíces molidas y tronco más o menos tierno de papayo. Hubo necesidad de que pasara algún tiempo para que pudieran incluir en sus alimentos, regularmente, el frijol. Cuando vinieron las aguas y se llenaron las vainas, éstas fueron cosechadas con anticipación a la madurez.

Gracias a esas primeras siembras y a las lluvias venidas en su oportunidad, rectificaron su actitud numerosas familias que desde hacía algunas semanas preparaban la emigración, contra el fallo de los mismos viejos. Habían resuelto marcharse en busca de mejores tierras, más lejos de los blancos, al abrigo de alguna tribu amiga que hubiera sufrido menos.

Los viejos habían sostenido que sus dioses estaban en los cerros cuya presencia trataban de abandonar; dijeron de la victoria obtenida sobre los blancos, pues que éstos pidieron la paz; enumeraron todos los augurios de las primeras lluvias y, por último, señalaron las tierras cultivadas ya: la esperanza de una buena cosecha.

Mientras tanto, los naturales buscaron, como en los días de la persecución, las frutas silvestres. Creció notablemente la afición a la cacería. Y no pasaba un sol sin que numerosas familias buscaran en el río el sustento. De existir entonces más confianza, todos se hubieran ido por el valle, en busca de trabajo, entre los mestizos, pero aún temían.

La tierra, más solvente que nunca, como para no desmentir a los viejos, dio en una sola cosecha las de tres siembras, sin más estímulo que una lluvia.

LA TABLA DE LA LEY

El sol doraba la fachada del día domingo. Por el caminejo cimarrón que baja de las sierras y corta el camino real hacia las vegas, se movía en serpenteo un zumbar de voces.

Bajo el monte, en la soledad, la caravana de palabras tenía resonancia de misterio, el mismo que sugiere un cromo alusivo al día de difuntos y que es familiar en los hogares de las gentes del campo: una caravana de ánimas, llevando ceras encendidas y palmas: caras dolientes, unas; semblantes resignados, otros.

Por los días en que se ofrenda a los muertos con manjares propios de los que aún viven, esa estampa cómo influye en la fantasía de los niños: pasa la caravana a través de los sueños y, cuántas veces, bajo la influencia de las consejas, se escucha al anochecer, en mitad del campo, el vocerío de los que caminan llevando ceras y palmas.

Eso sugerían las voces de los que bajaban de las sierras hacia las vegas. Eran los espíritus de una raza. Al pasar más cerca, se apreciaban claramente las palabras de una lengua sin *erres*, una lengua fluida en ondulaciones de *eles*.

Por la ojiva de un claro de follaje podía espiarse un tramo de la vereda. Caminaban de uno en fondo. Como iban descalzos, apenas si las hojas secas, al romperse, denunciaban la prisa en la marcha. Un hombre joven, de musculadas piernas que los calzones enrollados dejaban descubiertas, pasó en dos zancadas. Llevaba una larga pica al hombro. Parecía que iba a la guerra. Tras él, un chiquillo, armado con una vara, vivaracho y resuelto: cabeza de oso y nariz de águila. Después, un anciano apoyado en un bordón: cabeza descubierta y blanca que no sabía cómo era el follaje que entoldaba el camino porque los ojos iban fijos en el suelo: iba con el mismo trote de perro con que había cansado un siglo de distancia. Pasó una joven morena, cobriza, con sus brazos desnudos, con las trenzas anudadas a la frente y en la crisma prendido el *quexquémetl*, símbolo de su doncellez: a cada paso le crepitaban las carnes denunciadoras de consistencia. Y pasó la mujer madre: a la espalda, el muchacho; y, por delante e invisible, el muchacho. Pasaban. Pasaban... Sólo así, a hurtadillas, puede verse la estatura exacta de la raza. Sucede con ella lo que con todos los animales montaraces. Cuando se creen solos, se yerguen completamente, en todo su tamaño, pero en cuanto hay el menor indicio de peligro, ¡qué encogimiento y qué azoro! Hasta el jabalí es bello en la libertad. Estatuario, el ciervo en la soledad.

*

Entre los *jarillales,* donde había claros de arena abrillantada por el sol y árboles de raíces cavadas por las últimas crecientes, se preparaban veinte familias para la pesca. Hombres, mujeres y niños alistaban sus enseres. En las piedras orilleras eran afilados los chuzos, algunos arponados. Un viejo, en cuclillas, remendaba su atarraya. Los muchachos ponían en el extremo de sus carrizos un pedazo de alambre puntiagudo. Las mujeres daban de mamar a sus hijos. Otras ya los habían instalado a la sombra de los chaparrales, anudándose después a la cintura el *ayate* con que pensaran recoger la plata escamada de una trucha.

Casi desnudos todos. Así fueron, tal vez, los viejos *matlazincas,* los de la red, en las andanzas inciertas de hace siglos, cuando en busca de un canto, que era todo un augurio, siguieron las márgenes de los ríos, almacenes naturales de las tribus errantes.

Río abajo se oía el ruido de una cascada. Río arriba, la *chorrera* les hacía flecos a las espaldas de las aguas. Frente a los pescadores estaba el lugar propicio a los escasos recursos, donde el agua, por derramarse un poco, tenía escasa profundidad.

Todos sabían que los mejores peces, a esa hora, retozaban donde la corriente era más fuerte. Río arriba, sin duda, las truchas formaban verdaderos *bancos,* los *bobos* se alineaban en escuadras y la lisa chapoteaba a flor de agua. En cambio, donde ellos iban a pescar, el resultado tendría que ser pobre, como sus recursos. Se conformarían con la mojarra espinosa y con el charal. Antes de iniciar sus trabajos, se quedaron mirando, codiciosos, la *chorrera.*

Un joven de mirada audaz confesó que él era poseedor de un cartucho de dinamita, indicando la conveniencia de aventurarse.

Dijo que él ya lo había hecho en las noches de luna, cuando ningún vigilante se atreve a ir en busca de los que contrarían las disposiciones. Pero los viejos se opusieron resueltamente, volviéndose a un cantil cercano en cuya parte superior pendía una tabla.

Ya les habían explicado el contenido de la tabla. Era una prohibición y, hechos a la obediencia, no querían contravenirla, temerosos del castigo. El rubro decía:

"Por orden de la autoridad se prohíbe pescar con dinamita dentro de esta jurisdicción, advirtiéndose a los infractores, que serán castigados con quince días de cárcel o con multa de veinticinco pesos.—El Presidente Municipal."

Siguió un largo silencio meditativo y, por fin, un viejo *tlachisqui*, un vidente, se acercó hasta la orilla. Puso los brazos en línea horizontal, hacia adelante, y mirando fijamente al sol, musitó un ruego:

—¡Padre de lo que tiene vida y de lo que no vive: señor de la tierra, del agua, del viento y del fuego: si das de comer al cuervo, a la víbora y al tigre, dame unos pescados para mis hijos y para los hijos de mis hijos...!

Avanzó hasta donde el agua le llegaba a la rodilla y, tomando una botella que su mujer le entregara, habló cara a cara con la corriente:

—Tú sigues tu camino y nosotros somos hormigas que nos quedamos aquí: ahora que tu semblante es tranquilo, escúchame...

En la oración sonó la palabra *hueyeatl*, el mar, padre de los ríos. El viejo, medio tapó con un dedo la boca de la botella, dejando caer algunas gotas de aguardiente en las aguas. Después bebió él. Fue como una alianza hecha en un brindis. Y todos avanzaron resueltamente río adentro.

Fueron apenas los preparativos de la pesca. Principiaron por escoger el vado más bajo, donde el agua daba a medio muslo. En un afanoso acarreo y amontonamiento de piedras, se ocuparon los más fuertes. Los viejos aseguraban con ramas y lodo los improvisados *tecorrales*. Las mujeres y los muchachos llevaban jarrillas con qué suplir en las partes orilleras las cercas de piedra. De trecho en trecho, la valla tenía estrechas compuertas por las que el agua tomaba mayor velocidad.

¡Qué afán! Parecía que el sol no quemaba las espaldas. Los hombres no se admiraban de sus grandes fuerzas. Las mujeres parecían ajenas a sus descubiertos senos: macizos, unos; flácidos, otros. Los muchachos estaban completamente desnudos, morenos como el hombre cuando su barro aún no se enrojecía de vergüenza.

La obra principal había quedado terminada. En las compuertas se instalaron los hombres provistos de redes. En los extremos de la valla, cubriendo los sitios por donde podían escapar los peces más perseguidos, se instalaron los viejos y los muchachos. Los hombres y las mujeres —hombrunas— fueron por el pedregal y, donde consideraron que el agua les daría al pecho, se alinearon perpendicularmente al curso del río.

Comenzó el arreo. Era una hilera chapoteante. Iban mujeres y hombres casi juntos. Los que esgrimían chuzos, hurgaban en las grandes piedras, espantando las mojarras morosas. Algunos hundían en las aguas bordones nuevos, libres de cáscara, para que la blancura de la madera fuera eficaz espantajo.

Los que portaban atarrayas eran los más alertas: con el centro de la red entre los dientes y la orla sobre el antebrazo, listos para lanzarla en cuanto se pusiera a tiro una presa. Acorralados, los peces comenzaban a pasar, a virar, girando como pequeñas sombras bajo el agua. Un joven lanzó de pronto su carrizo, el cual, tras algunas nerviosas sacudidas, comenzó a cortar el agua casi perpendicularmente a la superficie.

¡Qué gritería! Todos sabían que la vara iba prendida a un pez de regular tamaño, capaz de soportar el peso de la caña. Alguien le echó mano a ésta y la sostuvo con habilidad, sincronizando la tensión a los ímpetus de la presa, pues un exceso de fuerza hubiera dado lugar a que el pez se escapara.

Bien pronto el animal azotó la superficie en rápidas volteretas. El hombre, una vez que le hubo metido un dedo en las agallas, le mordió la cabeza para liquidarlo, arrancándole el arpón no sin un desgarramiento de carne blanquecina.

Los de las compuertas comenzaron a levantar con más frecuencia sus redes, de las que extraían los peces, para echarlos a los morrales. Cada vez que una presa huía de un salto sobre la valla o cuando otra lograba pasar por entre la barrera de piernas, los gritos se volvían ensordecedores.

Las atarrayas eran lanzadas y al ser recogidas extraían abundantes racimos de peces, que, sin embargo, eran pocos en proporción a los muchos pescadores. En el tramo de la batida final el agua se enturbió demasiado, a pesar de ser libre y corrediza. Por eso, hasta las mujeres, al meter sus *ayates,* sacaban charales de estaño nuevo y mojarras de espinosas aletas.

Y llegó la hora del reparto. Cada quien fue depositando su cosecha en un hoyanco hecho en la arena de la orilla. El viejo *tlachisqui,* en cuclillas, fue apartando el pescado grande. Todos habían contribuido y todos participarían. El viejo repartió según la aportación y según las necesidades de cada uno. Los jefes de familia recibieron por ellos, por sus mujeres y por sus hijos.

*

La tribu toda se quedó inmóvil, con la mirada puesta en el cantil. Estaban a la vista unos jinetes. Cuando éstos bajaron de sus caballos, entre las mujeres y los hijos de los pescadores, hubo un ímpetu de fuga hacia las más cercanas breñas.

Por los dispositivos que tomaron los recién llegados, los naturales comprendieron, desde luego, que aquellos iban a echar dinamita al río. El asombro fue mayor precisamente porque ellos sabían que estaba prohibido, pues que así lo rezaba la tabla puesta en el cantil, según se los habían explicado. Pero los recién llegados, acaso comprendiendo la causa del asombro de quienes los miraban a distancia, y para no dar un mal ejemplo, voltearon la tabla por el lado, en que decía:

"Por orden de la autoridad, durante media hora, se permite pescar con dinamita en esta jurisdicción.—*El Presidente Municipal.*"

La tribu entendió, con ese acto tan sólo, que los recién llegados eran la misma autoridad, pues ya sabían que sólo ella contaba con el poder suficiente para voltear la tabla. Ya con esa seguridad, los viejos se acercaron. ¡Qué gesto de protección y de superioridad de parte de los funcionarios! ¡Qué lastimosa humildad de parte de los naturales! El resto de la tribu veía desde lejos: caras azoradas entre los matorrales de la ribera.

Quien iba con la autoridad —supusieron— era un alto personaje, pues sabían que las pescas en esa forma eran casi siempre en honor de muy distinguidos visitantes. Cuando algunos de los naturales estuvieran listos para recoger las víctimas de la explosión, los cartuchos de dinamita, debidamente preparados, fueron prendidos por la mecha en los cigarros, y lanzados de trecho en trecho.

Tres estallidos. Tres enormes chichones se alzaron de la corriente, tan altos que, el agua, al descender pulverizada, fue barrida por el viento como fina llovizna. Blanquearon los peces muertos, grandes y chicos. Con el procedimiento —explicó el Presidente Municipal— se mueren hasta las crías; por ello era la prohibición—, pero tratándose de unos visitantes tan distinguidos...

¡Pesca tan abundante y seleccionada! Invitados por el sol y la delicia del agua, tan clara como una pupila virgen de maldad, el alcalde y su huésped se bañaron también. ¡Qué abdómenes tan abultados y en tan denigrante desproporción con piernas y brazos! Al querer nadar, pateaban grotescamente, apoyándose con las manos en las piedras del fondo.

Antes de marcharse la comitiva, la tabla fue volteada, otra vez, del lado que decía: "Por orden de la autoridad se prohíbe..." El *tlachisqui* y los suyos se quedaron mirando hacia el cantil, en silencio, haciendo tal vez un análisis de la desigualdad.

El silencio fue interrumpido por unos gritos corriente abajo. Una pequeña cabeza negra, la de un niño, avanzaba arrastrada por el río. Todos sabían que a unos cuantos metros estaba la cascada, la muerte. Corrieron todos. Los más diligentes se lanzaron a nado; los demás, por sobre los pedregales. Cuando el niño subió en el vuelco último y desapareció en la caída, el alarido de la tribu· fue como una ululante protesta. ¿Acaso no se ofrendó al río antes de iniciarse la pesca? ¿Por qué se cobraba así?

Los primeros en asomarse buscaron con la mirada ansiosa en el sitio donde las aguas hervían haciendo en su caída barrenos de espuma. Nada. Pero más lejos, allá donde el remolino ampliaba sus círculos, una cabeza negra, la de un niño, avanzaba torpemente, chapoteando con las manos muy cerca de la cara, como un perro pequeño, cansado de nadar, hacia la orilla.

Mientras la madre, desnuda completamente en la carrera, aupaba amorosa a su hijo, también desnudo, el silencio se hizo tan grande como la misma cascada. La madre cambió de estado de ánimo: ya no acariciaba a su hijo, sino que lo azotaba en castigo por haberse alejado del grupo. Después, rió mucho. Y volvió a acariciarlo.

Frente a un paisaje inmenso, el viejo *tlachisqui* comenzó a decir, como un iluminado:

—Los patos nacen entre los tulares y, apenas han quebrado el cascarón, se echan al agua, sin que el padre o la madre les hayan enseñado a nadar. Las mariposas rompen su envoltura y vuelan libres por el cielo. La víbora nace y corre por entre la hierba, con la muerte en la boca... La tribu era así, también, y por eso ha podido sobrevivir a los sufrimientos. Nada tiene de raro que el niño sepa nadar sin haber aprendido... Lo que pasa es que en los últimos tiempos hemos desconfiado del instinto, influenciados por hombres de otra raza...

Los *apapanes* buscaban sus dormideros en el islote; y la tribu, la vereda del retorno.

EL CONSEJO DE ANCIANOS

La primera reunión de los viejos fue para conocer de un caso muy importante, aunque absolutamente doméstico: el motivo de reyerta que dividía a tres familias. El hecho de que la reunión fuera en la casa de uno de los ancianos, denotaba que el asunto a debate era dudoso. Es costumbre entre ellos que, cuando el caso se halla completamente definido y el fallo no amerita discusión, se reúnan en la casa de aquél que merece la justicia, que visiblemente tiene la razón.

En algunas ocasiones sumamente claras, el fallo se reduce a la visita de los viejos. La parte contraria se declara derrotada y ni siquiera se presenta a defender su causa. Entonces, el que ha merecido el reconocimiento de su derecho, se concreta a ofrecer un trago de aguardiente o una taza de atole a sus visitantes. Hablan de asuntos ajenos al litigio: el buen tiempo, la belleza de la noche o la necesidad de llevar a cabo alguna obra de provecho general. Y los viejos se marchan seguros de que su justicia ha sido interpretada.

Pero en aquella vez ninguna de las tres casas en pugna recibió la visita. Por respeto a sus años y a sus antecedentes, los jueces tomaron como lugar de cita la casa del más viejo de los *huehues*. Éste ofreció a sus visitantes pequeños bancos de madera. Al ir y venir atendiendo a sus huéspedes, le campaneaban los anchos calzones de manta por sobre los pies descalzos. Ya tenía la cabeza completamente blanca y la cara enjuta. Era el patriarca de la ranchería: él sembró los carcomidos ciruelos que había en su corredor, él fue testigo de aquella creciente del arroyo que se llevó la mitad del caserío y él construyó el pequeño puente de madera.

Habían llegado también otros hombres que, propiamente, no podían ser considerados como ancianos, dada la longevidad de la raza, pero que habían sido *tequihuis*, funcionarios, y ese solo hecho los acreditaba como integrantes del consejo. Eran los que en años anteriores, por designación de las autoridades del distrito, habían cobrado la contribución personal, habían transmitido las órdenes para el desempeño de trabajos y encarcelado a más de un renuente.

En la ranchería se contaba con otra clase de hombres, los esforzados que en caso de choques con los naturales vecinos se encargaban de la dirección de la guerra, pero que no figuraban entre los viejos porque el carácter impulsivo resta cordura al juicio.

En un rincón de la pieza, que era recámara, sala, comedor y cocina al mismo tiempo, las mujeres atizaban el fogón en auxilio de la luna que se metía por la puerta y por la empalizada. En otro rincón se hallaba un ancho camastro de carrizo. Del otro lado se veía un depósito hecho de otate, en que se guardaba la cosecha si el año era bueno. Sobre la lumbre, puestos al humo había racimos de mazorcas, para escoger de ellas el *xinaxtli*, la mejor semilla, para la próxima siembra. Perpendicularmente a las vigas no se veían, más se adivinaban, dos o tres carrizos de pesca.

Los viejos guardaban silencio. Cuando llegaron las tres partes en pugna, los familiares del jefe de la casa se salieron para no escuchar los alegatos. Los tres hombres que iban a dirimir su caso ante el consejo, se mantuvieron de pie a un lado de la puerta. Uno de ellos fue el que expuso completamente el caso, en voz baja. La energía del rostro, al que el fuego cercano le daba el aspecto de un medallón de cobre antiguo, contrastaba con la dulzura en el decir:

—Este hermano mío —comenzó a explicar —cuando mi hija cumplió los doce años, llegó una noche a pedírmela en matrimonio, para su hijo. Ustedes bien saben que el *telpócatl*, el hijo de este amigo mío, era sano, hermoso y trabajador. Yo no podía negarle a mi *ixpócatl*, mi hija que, como ustedes saben, es bella y hacendosa. Acepté, pues, el *tlapalole*: dos gallinas, dos cuartillos de fríjol, una jícara, un pañuelo y una botella de aguardiente, de la que tomamos una copa él, su mujer, mi mujer y yo, quedando cerrado el compromiso de que nuestros hijos se casarían. Pero no pudieron casarse porque el muchacho, como ustedes saben, tuvo la desgracia de romperse las piernas cuando los tres blancos que estuvieron aquí a buscar oro y plantas medicinales le dieron tormento en el cerro. El hecho es tan conocido que bien podía no mencionarlo: por él dimos muerte al blanco, por eso nos persiguieron y tuvimos que huir a los montes... El muchacho sigue sin poder trabajar y tal vez nunca pueda hacerlo. Mi hermano y yo convinimos en esperar, porque bien sabemos que nuestros hijos, aunque no se tratan por acatar nuestras costumbres, se quieren. Desgraciadamente, el tiempo se ha ido y el muchacho apenas si puede dar paso, reducido a la mitad de su tamaño, con las piernas torcidas como unas raíces quemadas y secas, encogido como una araña: ¡él, que era tan bello y fuerte!

El padre del muchacho en desgracia decía con sus movimientos de cabeza, más que con los labios:

—Todo es verdad.

Y argumentó:

—Pero sanará. Además, precisamente por estar como está, necesita una compañera. Ustedes, los jueces de mi tribu, le harán justicia porque fueron ustedes los que lo mandaron a servir de guía a los blancos, que le dieron tormento y lo echaron por la pendiente, a la desventura. ¡Yo trabajaré, mientras mi hijo siga enfermo, para él y para ella!

Los viejos parecían estatuas, inmóviles. Por sobre sus cabezas se miraban los tres hombres que intervenían en el juicio.

El padre de la muchacha en disputa siguió explicando:

—Así las cosas, una noche, llegó éste mi otro hermano y amigo, a decirme: "tu hija no podrá casarse con quien está comprometida, porque él no puede trabajar. ¿Cómo va a mantenerla? ¿Tú vas a sostener a los nietos, si los tienes? ¡Por tu hija, por él, por los hijos de ellos, no deben casarse! Dame la muchacha para que se case con mi hijo: él es fuerte y trabajador. Además, dime, ¿quién le iguala en la cacería? Yo, como ya lo sabes, tengo mis bienes"...

Y al mismo tiempo que eso me decía este mi otro hermano, ordenó a su mujer que me entregara su *tlapalole:* dos gallinas, dos cuartillos de frijol, una jícara, un pañuelo y una botella de aguardiente. Yo quise oponerme porque ni yo ni mi hija éramos libres para contraer otro compromiso, pero este mi hermano se fue dejando sus regalos. Y, ahora que estamos aquí los tres, ante ustedes los *huehues,* quiero que me digan a quién debo regresar los obsequios que representan el compromiso: si a éste o a aquél. Afuera está mi mujer con todo lo que debo reintegrar a quien ustedes señalen. Que la experiencia resuelva, pues no quiero que por causa mía y de mi hija, sigan mirándose mal estos hermanos míos. Yo haré lo que la experiencia diga...

Los viejos meditaban. Uno de ellos fue a atizar la lumbre, que ya se extinguía. Habló el padre del muchacho lisiado.

—Nuestras costumbres han establecido que la mujer ajena es intocable. Más todavía, que la joven pedida en matrimonio es sa-

grada y que tanto una como otra no pueden ser vistas con ojos
de codicia. Cuántas veces ustedes, padres míos, han ordenado el
castigo del culpable, como en el caso del blanco que persiguió a la
muchacha en el arroyo. Mi hijo está en desgracia, es verdad, pero
lo está por culpa de ustedes, ancianos, y tiene derecho a la hija
de mi amigo. Qué ¿el palomo herido no tiene compañera? Si no
puede trabajar, yo trabajaré por él. ¡Este hombre, sólo porque es
rico entre nosotros, que somos pobres, ha humillado mi casa, pasando por sobre el *tlapalole* de mi hijo! Si eso pensaba hacer, su
hijo no debió haber avisado que mi muchacho estaba herido al pie
del cerro. ¡Tal vez lo salvó de que lo devoraran los zopilotes o las
fieras, sólo para cobrar el servicio, robándole a la mujer! ¿Por qué
no lo dejó en el monte, abandonado? Así ya no habría amargura
en mi boca. ¡Pido justicia, *huehues* de mi raza, padres míos!

El ofendido revelaba más su indignación con su actitud de cabeza echada hacia atrás, que con sus palabras.

El aludido respondió:

—Lo que han oído, ancianos, es la verdad, menos por lo que
hace al ultraje de que se me acusa. Yo pedí a la hija de mi amigo,
para mi hijo, porque considero que ella merece un hombre que
pueda sostenerla y defenderla. El hijo de mi hermano, en desgracia
ahora, era como el mío, o mejor; pero ya no es lo que fue. Si los
blancos no hubieran atormentado al muchacho, yo me hubiera
dirigido a otra parte, en busca de nuera, pero las circunstancias me
obligan a preguntarles, ancianos: ¿quieren aumentar el número de
los huérfanos que dejó la última epidemia? Han oído, pues, las
tres razones y, ahora, a ustedes les corresponde fallar: yo acato lo
que los viejos de mi raza digan...

*

Y habló el más viejo de los viejos.

—Yo opino que este caso es lamentable. El muchacho en desgracia, por culpa nuestra, según dice este hermano, tiene derecho
a la vida y a sus dones. El padre del joven está en su derecho al
defender el corazón de su hijo. Pero nosotros debemos resolver, mirando allá delante, como si fuéramos por un camino desconocido.
Lo que voy a decir causará una víctima y un dolor por toda la vida,

si es que mis hermanos los viejos no resuelven otra cosa: es mejor que haya una y no muchas víctimas. La muchacha debe casarse con el pretendiente sano, porque él garantiza la familia.

Todos los viejos aprobaron con una inclinación de cabeza y ya no fueron necesarias más palabras. El padre de la muchacha en disputa salió al portal y regresó llevando en las manos los regalos o los equivalentes, que recibiera hacía mucho tiempo en pedimento de su hija.

El padre del joven lisiado, contra quien falló el consejo, recibió los símbolos del compromiso matrimonial, sin decir palabra: las gallinas, la abundancia; el frijol, el manjar; la jícara, el agua en lluvia y en iris y en salud; el pañuelo, la prenda; y el aguardiente, la alegría.

Así, en silencio, miró altivamente a su rival, después a los viejos y, a largos pasos, salió hacia la noche ya huérfana de luna.

MÚSICA, DANZA Y ALCOHOL

Comenzó a oírse el sonar de un tambor por la pedregosa cañada que entonces era un camino y que en los días de lluvia es el cauce del arroyo. Era un golpe seco, monótono, parecido al que en algunas tribus habla de la guerra. Las mujeres y los muchachos salieron a todo correr, con la actitud de quien huye.

Los primeros en aparecer fueron algunos hombres que quitaban los que podían ser estorbos en el pedregal: un tronco, las piedras más grandes y las hierbas crecidas durante los meses de sequía. Después ya se vio al viejo que tocaba el tambor. Sin prestar mayor atención al instrumento, maquinalmente, golpeaba en él, puestos los ojos en los esforzados que atrás daban alaridos de alegría, estimulándose los unos a los otros.

Eran los que llegaban conduciendo a cuestas el mástil para el *patlancuáhuit* o *volador,* escogido y cortado en lo más espeso de los bosques, en la sierra. Apareció, por fin, todo el compacto grupo, formado por los organizadores de la fiesta, que eran todos los hombres aptos, quienes bajo las instrucciones de los *topilis,* se apiñaban, presentando el hombro, en el centro y en los extremos del largo y recto tronco: eran como grandes y morenas hormigas llevando en peso un trozo de madera hacia el nido.

De pronto el monótono y parejo sonar del tambor adquirió resonancia y prisa, al mismo tiempo que entre la multitud se alzaba una gritería. Era que la comitiva pasaba por un sitio difícil y los conductores del tronco habían comenzado a flaquear, con peligro de ser aplastados. Todos se esforzaban en no dejarse vencer y, por último, salieron, resoplando de cansancio, de aquel paso difícil. El tambor volvió a tomar su compás lento, monótono, como si marcara el paso.

En las primeras casas se hallaba el joven lisiado, el que antes fuera arrogante y fuerte y que por haber servido de guía a los buscadores de oro quedó inválido. Reía como un niño que se promete una diversión, pero bien pronto su rostro se fue contrayendo con un dolor que no era corporal. Entre los que más gritaban había descubierto a su rival, el mismo que lo hallara abandonado en el monte y el mismo que le arrebató a la que iba a ser su compañera.

Apoyándose en su burda muleta, más bien arrastrándose, se dirigió a su casa. A cada paso, la pierna más lisiada ejecutaba un movimiento de campaneo, como si la extremidad intentara poner una zancadilla a la pierna menos contrahecha. La cabeza, fuertemente enastada en un cuello ancho y por encima de unos fibrosos hombros, era lo único que parecía haberse librado de la desgracia: era como esas cabezas de monedas y medallas, bellas y enérgicas, sobre el mutilamiento del pecho.

Antes de su desgracia él había ido con todos los demás, año tras año, a cortar en los montes el *volador*. Era un afanoso buscar entre los árboles más altos y más rectos, hasta que los viejos se decidían por alguno. Y antes de recurrir a las hachas, el árbol recibía toda una consagración: comenzaban a sonar el tambor y la chirimía. El *tlachisqui* hablaba a las ramas, para que no fueran a tomar venganza al caer como pesados golpes de mano a la hora de ser cortadas; al tronco, para que fuera grato a los que a la hora de la fiesta se jugarían la vida, danzando en lo más alto; y, por último, a las raíces, para aplacar su enojo por la mutilación.

Cuando el *tlachisqui* echaba un chorro de aguardiente en la tierra, era dado el primer golpe de hacha. Todo un ceremonial. El lisiado fue siempre de los más entusiastas y entre los de su edad ninguno como él a la hora de la fiesta. Por eso su dolor al verse imposibilitado no tan sólo para tomar parte en los preparativos de la fiesta, sino hasta para los juegos tradicionales de la danza.

Medio escondido, veía desde su casa que los conductores del *volador* ya entraban al caserío. A los del grupo, los rodeaban las mujeres y los niños, todos asombrados del raro ejemplar traído de los montes. Jamás se había empleado mástil más alto: recto completamente. Entre los que más metían el hombro, iba el rival: la camisa anudada a la cintura; el torso, elástico y musculoso, abrillantado por el sudor; la cabeza, descubierta; de una correa que le cruzaba el pecho pendía el machete.

Aunque parecía tan viril, el lisiado, antes de su desgracia, qué gusto hubiera tenido al encontrarlo en un lugar solitario: qué encuentro hubieran sostenido con esa pesada esgrima del machete que, cuando los dos luchadores son hábiles, causa la impresión de un juego inofensivo, pero que suele cortar de un solo tajo la cabeza.

Pasaron rumbo a la pequeña plaza los que conducían el *volador*. Era una alegre gritería. Y el lisiado los miraba como una araña que apenas se atreve a sacar la cabeza a la puerta de su agujero. A poco dejó de sonar el tambor. Era que habían llegado.

*

Por la tarde y por la noche siguieron los preparativos de la fiesta: las mujeres barrían los patios de sus casas; algunos individuos limpiaban la pequeña plaza y la galera del *tianguis;* otros adornaban con flores y palmas la casa en que oficiaría el cura, a falta de una iglesia; y una media centena de los más fuertes levantaban el largo tronco para el número más espectacular de los festejos.

Por la mañana la fiesta se inició con la consagración del *volador*. Tenía enrollado de extremo a extremo un grueso cable, cuyas vueltas servían de escalera. En su base estaba sostenido por gruesos puntales que hacían veces de cuñas. En su extremo superior mostraba una especie de banquillo, sostenido en grueso carrete, a la altura del cual pendía un cuadrado.

El viejo *tlachisqui*, en esos momentos con más de sacerdote que de vidente, hizo una señal al músico, y comenzó la melodía peculiar del acto. El músico tocaba al mismo tiempo el tambor, colgado al cuello por una cuerda, y la chirimía que era manejada con una sola mano. La música atrajo a los naturales como la campana a las colmenas. El viejo se inclinó al pie del tronco, en la actitud de intentar cortarlo nuevamente. Su oración fue pidiendo benevolencia por los que iban a danzar en la cúspide. Después se dirigió al sol, para que no fuera a cegarlos. Luego, a los vientos, para que no fuera a soplar tan fuertemente que los derribara. Y, por último, a los espíritus de los que han sido los más notables *cuatotótls*, hombres del *volador*, para que protegieran a sus hermanos en la altura.

Al pie del tronco fueron colocadas las ofrendas: comestibles y ramos de *cempoalxóchitl*. La tierra fue regada con aguardiente, y el sacerdote bebió del mismo licor. La multitud se aglomeró para ver lo que era la iniciación de la fiesta. El sol ya se había alzado en los flancos del día pleno. Y entonces la chirimía y el tambor dejaron su aire litúrgico para adoptar un compás animado, casi alegre.

Por entre la multitud ya apiñada se abrieron paso los que iban a tomar parte en la danza. El primero en subir fue un joven que lucía, atados en la cabeza y en las manos, unos pañuelos de vivos colores. Vestía calzón y camisa de manta muy blanca. Subió a grandes zancadas, apoyándose en las vueltas del cable que se enredaba al mástil como enorme culebra. Al llegar a la cúspide se sentó en el banco, esperando que subieran los demás partícipes en la danza.

El segundo en llegar fue el de la chirimía y el tambor. Después tres jóvenes. Ocuparon los lados del cuadrado, no sin antes atarse a la cintura los extremos de los cables enrollados en el carrete del cual pendían sus improvisados e inseguros asientos.

Tambor y chirimía comenzaron a sonar. Las miradas de toda la multitud estaban puestas en el que, sentado en la parte más alta, ya hacía intento de levantarse. Cuando se alzó, la música se antojaba más fuerte, tan grande era el silencio que reinaba abajo. El hombre comenzó a danzar, dando saltos sobre una superficie en la que apenas si cabían las plantas de sus pies. Según la música, se inclinaba hacia los cuatro puntos cardinales, pasaba los pañuelos que tenía en las manos por sobre las cabezas de sus camaradas, como si al hacerlo les dijera un secreto y, luego, saltaba tan alto que a cada vez se pensaba en la muerte. De vez en cuando emitía un alarido que era contestado por los que estaban también en la altura.

Al terminar la danza, el de la cúspide volvió a sentarse en el pequeño banco. El de la chirimía y del tambor, comenzó a bajar por la escala hecha con las vueltas del cable. Y el sitio que el otro dejó libre fue ocupado por el bailarín, quien se ató el lazo libre, a la cintura. Cuando volvió a sonar la música, los cuatro hombres se lanzaron al vacío. El carrete comenzó a dar vueltas, o los lazos comenzaron a desenrollarse. A medida que giraban, los círculos iban haciéndose más grandes. Los *voladores,* con la cabeza hacia abajo y con los brazos abiertos como las alas de un pájaro, parecían la reencarnación del viejo anhelo de volar.

De vez en cuando lanzaban gritos, como las águilas, a los que respondía la multitud entusiasmada. La música era rápida como el giro de los *voladores.* El objeto de éstos, en los casos fatales, es el de atrapar en la caída, al que, a la hora de la danza, se expone en lo más alto.

Cuando estuvieron en tierra, fueron agasajados con un trago de aguardiente e invitados a comer, pues entre los rituales para el *volador* figura, en primer lugar, el ayuno.

*

Pasadas algunas horas el *volador* fue tan solo una de las diversiones en la fiesta, sin duda la más espectacular. Los *danzantes*, capitaneados por un hombre que esgrimía un machete y daba órdenes a gritos, bailaban frente a la casa donde se había improvisado la iglesia.

Llevaban penachos adornados con pequeños espejos y papeles de colores; tenían desnudo el tronco y alzados los calzones hasta medio muslo; y en las manos agitaban, al compás de la música, sonajas a manera de maracas, hechas de calabacillas secas y con pequeñas piedras dentro.

Eran dos hileras paralelas. En el centro iba y venía el capitán. La danza es como la más perfecta expresión de la simetría: los mismos pasos hacia la derecha, luego hacia la izquierda. Se cruzaban, permutando lugares y, a un grito del capitán, todos daban media vuelta: los de una hilera, a la izquierda; los de la otra hilera, hacia la derecha. El machete era como la batuta, más que para la música, compuesta de un violín estridente y de una guitarra, para los bailarines.

Más que por la danza, frente a la casa se aglomeraba la multitud porque el cura había comenzado a oficiar. Sólo cada año visitaba la ranchería y eran muchos los padres que deseaban bautizar a sus hijos y muchos los jóvenes deseosos de contraer matrimonio. Multitud caracterizada por la blancura del algodón y de la palma: indumentaria humilde. Sobre ese blanco, el rojo encendido de las chaquiras nuevas en el *huipil* y en el *quexquémetl* de las mujeres.

Entre las parejas que esperaban su turno para el matrimonio, se hallaba una de la que no quitaba los ojos un lisiado medio oculto tras una cerca de piedra. La muchacha, con sus cabellos untados en dos ondas sobre las orejas y hacia la nuca, con su camisa bordada y con la falda de algodón que lucía un ancho labrado de estambre, estaba más bella que nunca. En las manos sostenía una jícara, como si en ella hubiera querido echar las lágrimas de sus ojos humillados. El hombre portaba un sombrero nuevo, de palma, ropa muy blanca, al cuello un pañuelo rojo y al hombro una tilma.

El lisiado los miraba desde lejos, con una tristeza tan grande como es grande la aparente indiferencia de la raza. Veía cómo, tras haber salido algunas parejas, ya entraba la que para él era el motivo de su vigilancia. La muchacha iba con los ojos bajos, con andar menudo, tras su hombre.

Sin duda supuso la escena que se desarrollaba frente al cura y antes de que la pareja saliera, se retiró hacia su casa, apoyándose en su burda muleta: la pierna izquierda, completamente encogida, le daba la actitud de una persona que va a arrodillarse, pues el muslo casi tocaba el talón —y era la pierna mejor—, la que sostenía el cuerpo, pues la otra, torcida hacia delante, a cada salto del bordón ejecutaba un movimiento circular.

La araña iba a meterse a su aguejero, dolida de su propio veneno, mientras los otros gritaban alegres y borrachos, danzando.

*

Donde había más contento era donde se estaba celebrando el *tianguistli*. Había muchos vendedores de manta y de baratijas, pero eran mucho más los que habían instalado sus puestos de aguardiente. Éstos, para atraer compradores, comenzaban por darles una *prueba*, y momentos después ya no podían atender tantas demandas. Eran incontables los individuos, especialmente adultos, con todos los síntomas de la embriaguez. Hablaban, discutían y provocaban riñas. El mutismo tradicional había desaparecido bajo la acción del alcohol. Bien pronto, hasta los más alegres, rompían a llorar. De ellos, los más escandalosos fueron llevados en calidad de presos a la cárcel improvisada en una troje vieja, para que al otro día barrieran la basura en la plaza y en los callejones.

El giro que tomó la fiesta fue como la historia de cuatro siglos: primero las danzas, la música, el *volador*, en una palabra, la tradición; y luego, el alcohol. Había hombres tirados como cerdos gordos, a las puertas de las casas. Eran algunos viejos *tequihuis* que, validos de su impunidad, escandalizaron, atropellaron, se pusieron a llorar y, por último, fueron a caer en cualquier sitio, a dormir.

Por el desorden a causa de la embriaguez, pues los mismos *topilis* estaban borrachos, ya nadie vigilaba como en un principio cuanto debía hacerse o no hacerse en el *volador*. Cuando principió la fiesta sólo se permitía tomar parte en la arriesgada hazaña a los que, además de manifestar por su exterior hallarse en perfectas condiciones, aseguraban no haber faltado a los preceptos de la tradición: haber ayunado, haber pedido protección a los dioses y no haber tenido contacto con mujer alguna, al menos durante la noche anterior.

Subían todos los que deseaban. Los *voladores* gritaban como verdaderos borrachos. El que se hallaba en la cúspide había tenido sospechosas dificultades en el ascenso. El tambor y la chirimía parecían cansados. Sin embargo, ninguno de los que tenían autoridad se daba cuenta de que lo mejor era suspender el espectáculo.

Abajo había un hormiguear de cabezas negras, tocadas algunas con sombreros nuevos, de palma. Arriba, muy alto, el hombre de los pañuelos rojos, danzando en forma escalofriante.

Se inclinaba hacia el oriente. Después su reverencia era para el rumbo donde el sol ya se hundía. De un salto daba la cara al sur, para después volverse al norte. Y a su grito respondían los *voladores* con gritos no menos estridentes.

De pronto se escuchó un alarido diferente a los anteriores, timbrado con una gran angustia. El hombre de la cúspide había perdido el equilibrio. Por un segundo, con el cuerpo al aire y teniendo en el banquillo puesta apenas la punta de un pie, el infeliz hizo el intento de recobrar su perdida actitud, pero no lo alcanzó. En medio de un profundo silencio comenzó a descender vertiginosamente. Uno de los *voladores* se lanzó a su encuentro, esforzándose por que se cortaran las dos trayectorias, pero se le escapó de las manos, que se habían crispado como garras.

Fue un golpe seco, semejante al de la bola de lodo que, lanzada sobre una pared, se queda prendida, achatada. La gente se arremolinó. Un *tequihui*, borracho, dudando precisamente por ello que el hombre se hubiera matado, le alzaba y le dejaba caer un brazo. La extremidad producía ese ruido propio en las víctimas del rayo: sonar de huesos rotos.

Había caído de pecho, con los brazos en cruz y las piernas abiertas. El *tequihui* le buscaba la cara, primero por un lado, después por el otro, sin encontrársela. De no ser por el suceso tan impresionante, todos se hubieran echado a reír. Tal era el aire de idiota que ponía el borracho, de puro asombro, al percatarse de que aquel hombre no tenía cara: era una superficie plana.

Entre la multitud, una mujer que gritaba se fue abriendo paso, hasta llegar junto al muerto. Dudosa, le buscó también la cara, pero al no encontrársela reconcentró su atención en algunos detalles, en la costura de la camisa y en la forma de las manos. Al cerciorarse reanudó sus gritos:

—¡*No tlácatl!* ¡Mi hombre!

*

El baile, al son de un violín y el arpa, se inició a la salida de la luna, en la galera del *tianguis*. En los horcones había candiles de gruesos mecheros. Los bailes predilectos eran el *xochipitzahua*, o flor menuda, y el *zacamandú*.

Las mujeres bailaban recatadamente, con los ojos bajos, pasos menudos, extendiendo por delante sus faldas todas llenas de *labrados*, como si fueran a recibir en ellas toda una cosecha de frutas. Los hombres, calzando sus *huaraches* nuevos, pateaban fuertemente, avanzando, retrocediendo y evolucionando en torno de la mujer, como el gallo cuando arrastra el ala.

De vez en cuando alguien alzaba el grito para cantar, quejumbrosamente, algo como esto:

> *Xi-quita, cihuatl-cinti,*
> Mira, mujer esbelta como el maíz,
> *campa xóchitl mo tepana,*
> ahí donde las flores se alinean,
> *ni-mo cuepas ayitochi,*
> me transformaré en armadillo,
> *ni-pehuas ni-tlahuahuanas,*
> comenzaré a rascar la tierra,
> *ni-quisate campa ti-cochi*
> e iré a salir donde tú duermes.

Los grupos más animados permanecieron junto a las ventas de aguardiente. En uno de esos grupos se discutía acerca de la superioridad de los lugareños, respecto a sus vecinos, para la danza del *volador*. Entre los presentes se hallaban algunos coterráneos del que cayó del *patlancuáhuitl*, matándose en forma tan espantosa.

Fueron ellos los que recogieron la ofensa, pues que entre sus antepasados hubo famosos danzantes de la altura.

Como todos portaban sus largos machetes prendidos de la cintura, indicio de valimiento y adorno en las grandes festividades, los ánimos se violentaron rápidamente y comenzó una pelea en que sólo la habilidad logró el milagro de que no fuera más la sangre derramada.

Alentándose con gritos salvajes, los de la ranchería y los visitantes combatieron por varias horas. Eran lances de esgrima, con una maestría increíble. Por momentos, parecía que un golpe había dado en la cabeza de un combatiente, pero éste, en un salto magnífico, aparecía a considerable distancia, pasando el arma por sobre las piedras, las que en la oscuridad arrojaban chispas fugitivas.

Al amanecer fueron identificados tres cadáveres con espantosas mutilaciones de brazos.

SUPERSTICIÓN

En la penumbra del amanecer, por un pardo callejón de la ranchería, salió un hombre de andar impaciente, como el que va de prisa en busca del mejor remedio para curar al familiar gravemente enfermo.

El hombre iba en busca del *necténquetl,* el que tiene miel, nombre que se daba al curandero, pero cuya fama, regada por toda la comarca, dimanaba, más que de sus colmenas, de sus misteriosas y temidas actividades en la brujería.

El caminante, además del machete ceñido a la cintura, del morral con el bastimento para el medio día y de los *huaraches* atados al lazo del morral, llevaba los presentes para poder solicitar los servicios del brujo: una gallina, unos huevos y una botella de aguardiente. De sus honorarios ya hablaría con el personaje.

En pleno día, el camino iba desdoblándose en cuestas, hondonadas y pendientes. A pesar de sus años, el caminante apenas si resoplaba, como en un alivio, al vencer las más pronunciadas ascensiones. Al encontrar otros caminantes, aún sin conocerlos, cambiaba el saludo de rigor, tocándose apenas las puntas de los dedos. Se cuidó muy bien de no decir la causa verdadera de su viaje, pretextando cualquier motivo. Después de un enorme rodeo a un cerro, la ranchería apareció junto al arroyo que pasaba casi por en medio de las casas pajizas como grandes montones de basura.

Cuando llegó, el brujo se ocupaba en una encarnizada lucha con las hormigas *tepehuas,* en defensa de sus colmenas. Inesperadamente, cuando él se hallaba en su campo de labor, fue avisado de que las colmenas estaban siendo destrozadas por las invasoras.

Los encuentros entre colmenas y *tepehuas* revisten todos los caracteres de las antiguas contiendas entre los pueblos sedentarios, las abejas, y las tribus salvajes y errantes, las hormigas. Estas llegan repentinamente, en largas y negras hileras que trepan por los sostenes del colmenar, se meten a los cajones y principian la lucha. El objetivo de ellas es el saqueo de cuanto tiene la congregación, es decir, cera y miel.

Las abejas improvisan la resistencia y armadas de sus aguijones causan no pocas víctimas entre la avalancha irruptora, pero casi siempre salen triunfando las columnas atacantes, si es que los propietarios de la fábrica no acuden en auxilio de las obreras. En algunas ocasiones, las abejas prefieren abandonar sus casas y sus riquezas, emprendiendo el zumbante vuelo que dirige la *reina,* en tanto que las hormigas inician la retirada hacia sus cuevas, llevando los frutos de su piratería.

El brujo se hallaba en eso, en defender sus obreras, que habían sido atacadas por un ejército de *tepehuas.* El mejor recurso es el fuego: con grandes hachones de zacate, es fácil cortar las columnas de hormigas, quemarlas ya una vez dispersas y rechazar a los contingentes que aún no han penetrado al colmenar. El visitante prestó valiosa ayuda al brujo, así como las mujeres, que bien pronto se aprestaron también a la defensa. El piso se hallaba cubierto de cadáveres, confundidos los defensores y los atacantes.

De uno de los cajones emprendió el vuelo una nubecilla de abejas. Era toda una familia que escapaba en busca de un mejor hogar. El brujo se aprestó a sonar una campanilla, siguiendo al enjambre que ya se arremolinaba por sobre los árboles más próximos. El sonar de la campana sedujo a la *reina,* la que, posándose en una rama sumamente baja, hizo que sus súbditos formaran un redondo racimo. El brujo llevó un cajón nuevo rociado en su interior con agua de azahar. Después, con sus manos familiarizadas con las abejas, empujó a éstas hacia el interior y, así, condujo el cajón hasta el sitio que ocupara la casa anterior de las fugitivas. Del cajón abandonado sacó las rubias pencas de cera claveteadas de celdillas llenas de miel.

Ese era uno de sus principales negocios, pues que sus clientes hacían fuerte consumo de cera, de acuerdo con sus propias indicaciones para las prácticas de la brujería. El casero ordenó a una de las mujeres que llevara un banco para el huésped. Y los dos hombres tomaron asiento a la sombra de uno de los árboles del patio.

El visitante, antes de formular su solicitud, puso en manos del brujo los presentes. El sólo hecho de que los recibiera significaba hallarse dispuesto a escuchar. Al parecer, la ayuda recibida en la lucha contra las *tepehuas* le había dispuesto favorablemente al peticionario, pues destapó la botella e hizo que bebiera un trago. Él se excusó diciendo que bebería después de haber terminado sus trabajos con las colmenas, porque éstas son refractarias al alcohol y se enfurecen con sólo olfatearlo, mientras que no tomándolo se las puede manejar confiadamente. O, tal vez, creía que se trataba de envenenarlo con el regalo.

El visitante expuso su deseo: que se le protegiera con las mismas armas con que se le estaba atacando, pues que el brujo de su ranchería, al servicio de un enemigo, comenzaba a embrujarlo. El día anterior, en el patio de su casa, observó que la tierra estaba recientemente removida y, cediendo más al temor y a una sospecha, que a la curiosidad, se puso a cavar en el mismo sitio, desenterrando tres muñecos de *cua-ámatl*, papel de madera, todos atravesados por espinas. Además, extrajo tres huevos de gallina, pintados de negro, y tres *cempoalxóchitl*, la flor de muerto.

Y explicó los antecedentes en que fundaba sus sospechas: un vecino suyo había pedido para su hijo una muchacha que aún permaneció soltera por mucho tiempo, en vista de que el joven había quedado imposibilitado para el trabajo: unos blancos lo arrojaron desde una gran altura y al rodar por la pendiente se rompió las piernas. Como los jóvenes comprometidos no podían casarse, él pidió la misma muchacha para su hijo, del caso conocieron los viejos de la ranchería y ellos fallaron favorablemente a sus intereses, pero la resolución disgustó al padre del lisiado, quien se había convertido en su mortal enemigo. Agregó:

—Él es quien me busca el daño.

El brujo pidió entonces una descripción detallada de los muñecos de *cua-ámatl*. El cliente dijo que una de las figuras, con una espina clavada en el corazón, otra en la cabeza y muchas en los brazos y piernas, era cerrada hasta los pies; mientras que dos de las figuras, igualmente heridas con espinas, eran abiertas hasta la entrepierna.

La opinión del brujo fue definitiva:

—Es ése tu enemigo el que te busca el mal: la figura cerrada hasta los pies, es tu mujer; las figuras abiertas hasta la entrepierna, son tu hijo y tú. Contra la muchacha no intentan nada porque tienen la esperanza de que al quedar sola...

—Por eso he venido. Dame tu protección y devuélveles el mal a mis enemigos. Tú eres fuerte, tu nombre corre por toda la tierra y yo soy como una de las hormigas que hemos quemado, pero tengo con qué pagar tus servicios. ¡Mientras estés en mi casa serás tratado como tú lo mereces!

El brujo aceptó. Después de haber terminado sus trabajos en el colmenar, dio instrucciones a su mujer y, cogiendo lo necesario para sus artes, tomó el camino, seguido de su cliente. De vez en cuando se detenía para indicar una planta y enumerar sus propiedades curativas: la que hace estériles a las mujeres, la que las hace fecundas, la que cura la demencia, la que hace fácil el alumbramiento y la que causa la muerte... Su compañero de viaje lo oía con el respeto que infunde un oráculo.

*

A puerta cerrada, el brujo inició sus trabajos encendiendo cuatro ceras de las que había llevado: representaban a los cuatro componentes de la familia. Según el orden en que se consumieran sería la duración de aquellas cuatro vidas amenazadas por los enemigos.

Después prendió tres ceras, sólo que de revés, es decir por la base: una contra el brujo rival, otra contra el enemigo y la tercera contra el hijo: que el fuego del mal los consumiera de pies a cabeza, para que sufrieran más. Y mientras ardían las ceras dando a la casa una gran luminosidad, el brujo procedió a auscultar en los recursos de sus enemigos.

Arrojó al fuego un pedazo de alumbre. Con el calor, la sal adquirió una rara conformación que, según el brujo, no era otra cosa que el muchacho lisiado; y, en verdad, que la figura era como un busto sostenido por unas piernas deformes. Tal descubrimiento vino a confirmar las sospechas y ya nadie abrigó la menor duda. En un rincón de la casa, las dos mujeres veían todo con grandes ojos asombrados. A medida que el brujo observaba el extraño muñeco, explicando a la vez sus observaciones, el asombro crecía.

—El brujo que ayuda a tu enemigo, es *nahual*, es decir, es poderoso, porque bien puede abandonar su figura de gente para convertirse en lo que él quiera... Tu enemigo es maestro en la pesca: un gran nadador y nadie como él sabe cruzar el río por más crecido que esté... El muchacho, pobre muchacho lisiado, tiene el alma triste y guarda en ella toda una laguna de odio...

Y el brujo mostraba en el alumbre quemado una pequeña oquedad, que él tomaba como la laguna del odio, colocada por la desgracia en el alma del muchacho lisiado. Ante el asombro de sus oyentes, se volvió a una pequeña imagen que había en un altar, y rezó con zumbido de moscardón: los nombres de los santos sonaban en mitad de las invocaciones a los vientos, al agua y a la tierra.

Tomó las tres figuras claveteadas de espinas y, lentamente, les fue arrancando lo que en los presentes había sido causa de fuertes dolencias. Todos respiraron con satisfacción, como al arrancarse una muela molesta, cuando las espinas quedaron amontonadas a un lado. La satisfacción fue mayor cuando el brujo tapó todas las heridas de los muñecos con la cera que escurría, en lágrimas, precisamente de las ceras que representaban las cuatro vidas de la familia.

De hecho había comenzado a detener el mal. Después sería el devolverlo a los enemigos. Con puñados de hierbas benéficas y tabaco, en tanto ardía en el fogón el mejor copal hallado en los montes, el brujo *limpió* a los dos matrimonios, dándoles *pases* de la cabeza a los pies, no sin acompañar el ademán con un rezo todo lleno de invocaciones.

El mal había sido quitado. Procedió entonces a recortar tres figuras, con el papel especial que llevara. Las tres figuras eran masculinas y en ellas comenzó a clavar las mismas espinas arrancadas de las otras estampas, provocando una sonrisa de airada alegría entre sus espectadores.

Tomó todos sus enseres, los colocó en su morral y, al disponerse a salir, hizo una indicación a los dos hombres de la casa, para que lo siguieran. El más joven se colocó el machete a la cintura. El viejo tomó su sombrero. Los tres salieron silenciosamente a la noche adulta.

Al pasar junto a la casa de sus enemigos, se detuvieron escuchando. No se oía un solo ruido. Ni siquiera los perros los habían olfateado o, acaso reconociéndolos como de la ranchería, no daban la menor señal de hostilidad. Con una gran cautela, el brujo cavó la tierra con el machete de su acompañante, hasta lograr un agujero de un decímetro cúbico, en que depositó las tres figuras erizadas de espinas y otras cosas igualmente funestas, al menos por la intención.

El muchacho echó encima parte de la tierra cavada y alisó cuidadosamente la superficie, recogiendo el sobrante para que los enemigos no se percataran del maléfico escondite. Al reanudar el camino, el curso de las grandes estrellas indicaba ya la proximidad de la media noche. Los tres hombres apretaron el paso a fin de llegar oportunamente a la cumbre del cerro escogido para la ceremonia.

Era una prominencia solitaria, abierta a todos los vientos, sin la proximidad de otras alturas que a lo mejor estorbaran la dirección de las palabras dirigidas a las fuerzas naturales hechas dioses. Cuando llegaron, el brujo se apresuró a sacar todo lo necesario, pues una de las más brillantes estrellas estaba a punto de llegar a su mayor altura.

Dio de beber y comer a la tierra. El aguardiente fue esparcido como rocío y los comestibles colocados reverentemente sobre una piedra. Del lado del oriente instaló a los dos hombres y hacia el poniente paró las tres ceras consagradas a sus enemigos: para los primeros la luz, el sol, la vida; para los otros, la noche, la sepultura del sol, la muerte.

Se arrodilló y con acento monótono dio principio a su oración:

—Dioses de la noche que me oyen: sean mansos para mis amigos y crueles con mis enemigos; estrellas, alumbren a mis hermanos y cúbranse la cara ante mis competidores; padre sol, que estás por llegar, préstame todo tu poder para que los malvados ya no puedan mirarte; vientos que son la frescura del mundo, azotadlos; y tú, madre tierra, la mujer del sol, dame el poder para devolverles mal por mal: que encuentren la desgracia donde el venado salta, donde nada el pez, donde anida el cuervo, donde se arrastra la víbora, donde vive la hormiga, donde grita el águila, donde canta la paloma...

Antes de retirarse, el brujo prendió las tres ceras consagradas a los enemigos, como antes, de revés. Y comenzó el descenso, sin que las tres lucecillas de la cumbre restaran ninguna oscuridad a la tierra, ni agregaran ningún esplendor a la luminosidad de los cielos.

EL NAHUAL

La noticia causó, más que una impresión de dolor, un efecto de honda satisfacción: el brujo de la ranchería, más temido aún por sus dotes de *nahual,* había muerto. A pesar de la lluvia del amanecer, la noticia iba por las casas, de puerta en puerta.

Sabedores todos de que una de las familias en pugna había traído de lejano lugar a otro brujo poderoso, de los trabajos de éste hacían derivar la muerte del hechicero local. ¡Y qué muerte! Aunque del acontecimiento se ocupaban todos, de la causa íntima sólo aventuraban sus noticias los que confiaban completamente en el interlocutor.

Más bien se pensaba, sin decirse, que había caído la primera víctima de la contienda, de la guerra entre las dos familias, distanciadas por la muchacha que solicitaran dos jóvenes de la ranchería: el uno inválido para el trabajo. El otro, en plena fuerza de una juventud sana.

Los temores que infundía el *nahual* muerto, eran tan sólo la sombra de los temores que supo sembrar en vida. De él se contaban hechos tremendos y misteriosos: para castigar a un vecino que robara unas mazorcas de maíz, le había dejado seca la mano, encogida, como un martillo informe. Pagado para saciar una venganza, acabó no tan sólo con toda una familia, sino hasta con los animales, muriendo todos a causa de una rara enfermedad.

Y qué maleficio el de su mirada: si un niño resultaba grato a sus ojos, caía enfermo, y era necesario que el brujo lo sahumara entre rezos y raras ceremonias para devolverle la salud. Si acaso iba por un campo de labor y la lozanía del sembrado despertaba su codicia, las matas se doblaban como bajo la lumbre de una larga sequía. Pero todo ello resultaba pálido ante las versiones sobre las correrías y prácticas nocturnas del *nahual.* No faltaron quienes hicieran notar que durante la noche anterior los perros habían aullado incansablemente y que, además, el tecolote había cantado o llorado cerca de la casa del desaparecido. Por algo existe entre los naturales la creencia de que los perros tienen la facultad de ver en medio de la noche, lo que resulta invisible para los humanos, como también creen que el tecolote pronostica la muerte.

Noches llenas de espanto, esas en que perros y tecolotes rompen el silencio de las rancherías: los niños, pegados al pecho de sus madres, temblando de miedo; las mujeres, con la mano del hombre entre las suyas; y el hombre, con el oído atento a las misteriosas voces de la noche, en un inútil afán de penetrar en el sentido que hay más allá de los fenómenos borrosos. ¿Por qué es que en esas noches los perros no ladran como al enfrentarse al tigre o al perseguir al ciervo, sino que lo hacen acobardados, siempre en un ímpetu de huida al rincón más protector de la casa? ¿Por qué en esas noches el tecolote no canta con su voz ronca y bonachona, sino que a ratos parece reír y a ratos llorar?

Pero nada tan imponente como la relación y los antecedentes. El brujo se hallaba muerto en su propia cama hecha de otate, pero presentaba huellas de lesiones en todo el cuerpo, como si hubiera pasado por todos los zarzales de la sierra, como si hubiera sido desgarrado por toda una jauría. Gracias al conocimiento previo de las actividades nocturnas del hombre, todos se explicaban lo sucedido.

Además de brujo era tenido por *nahual*. Aseguraban que, cuando la ranchería ya se encontraba en calma bajo el peso de las noches más oscuras, él procedía a transformarse en tigre, en oso o en una enorme serpiente, para ir a excursionar impunemente por campos y ranchos, robando lo más valioso que hallaba. Por eso en su casa abundaban la carne y los granos.

Contaban sus vecinos, con toda la seguridad de lo que es veraz, que encerrándose perfectamente en su casa, pronunciaba palabras misteriosas, echaba *copal* en la lumbre y, en medio de la humareda saltaba por sobre las piedras del fogón, saliendo convertido ya en la fiera cuyo aspecto había elegido previamente, capaz de traer en las fauces el cerdo gordo o la docena de gallinas robadas.

A su regreso era la mujer la encargada de ejecutar la rara liturgia que lo reintegraba a la forma humana. Del padre del brujo se contaba una leyenda mucho más espantosa: decían que, cansada de los malos tratos o bien por inclinación a otro hombre, la mujer se negó a restituirlo a la humanidad al regreso de una de sus correrías nocturnas. Como es de ritual que la transformación reivindicadora de la forma humana se efectúe antes de que alumbre el día, el *nahual* arañó durante la madrugada la puerta de su propia casa, pidiendo entrar. A medida que iban aclarándose los callejones, fue perdiendo toda memoria, como si se le metieran en la cabeza todas las sombras fugitivas. Y así, ajeno a todo su pasado, con la forma de un leopardo de extraño pelaje, se marchó a la montaña. Dicen que unos cazadores lo encontraron muerto: tenía facciones que fluctuaban entre las de un hombre y las de un puma, y el pelo tan crecido que le llegaba a los hombros.

Su hijo, el *nahual* heredero de la rara sabiduría, murió, en cambio, en su propio lecho. Los mejor enterados contaban discretamente que el brujo fue sorprendido en una de sus correrías nocturnas, que acaso se encontró con otro *nahual* más fuerte o que, tal vez, cayó en una trampa, donde fue mordido por los perros hasta que éstos olfatearon, con su instinto, la verdad, y lo dejaron escapar.

Ya herido, huyendo entre las breñas, llegó a su casa, con las fauces vacías. La mujer aún pudo reintegrarlo a la forma humana. Y allá estaba, en la tarima de otates, todo ensangrentado y lleno de lesiones, unas como rasgaduras de espinas y otras como dentelladas de perros.

Muy poderoso ha de ser —decían— el brujo traído de la otra ranchería, cuando pudo causar la muerte del *nahual*.

Otra víctima de esas luchas que duran siglos de superstición, entre familias que se transmiten los odios, como una herencia.

YOLOXÓCHITL

El brujo de la lejana ranchería, el mismo *necténquetl* que agregara a su fama la muerte del *nahual*, fue llamado nuevamente, para curar a la *ixpócatl*, la joven mujer que hacía poco se casara por fallo de los viejos con el hombre que no la solicitó en primer lugar para el matrimonio; pero que era capaz de trabajar para ella.

Ya no era aquella muchacha maciza de carnes que en el andar recordaba la actitud arisca de la cierva en vísperas del celo. Se sentía enferma y, cuando la preguntaban la causa de su tristeza, se colocaba la mano en el pecho, quejándose de una fuerte dolencia. La mayor parte de las horas, las pasaba en un rincón de la casa, entregada a sus labores pacíficas, maquinalmente.

Comenzaron a decir que era a ella a quien habían tocado los maleficios del brujo, dirigidos a su esposo y a sus demás familiares. El brujo, después de oír, pensó mucho; y, por fin, se resolvió a hablar, confirmando, aunque no con toda su convicción, la sospecha de que era la brujería la causa del mal. Antes de aconsejar la curación, quiso auscultar, pero no en la carne dolida, sino en el misterio de sus artes.

Encendió el fuego, echó en él suficiente copal, con el que la casa se llenó de un agradable perfume. Después, como en su primera visita, puso en las brasas un trozo de alumbre. La transformación fue inmediata: el alumbre, por acción del calor, creció de tamaño y, sin duda por una extraña coincidencia, adoptó la figura de un corazón.

Mientras el brujo examinaba el objeto, medio de sus auscultaciones, comenzó a decir:

—Es muy frecuente que las brujerías dirigidas a un enemigo, cuando éste tiene un espíritu fuerte, se desvíen y vayan a dar en algún familiar, muchas veces en algún animal, casi siempre el más querido: el perro que no se aparta del amo, por ejemplo.

Llamó a sus oyentes para que observan el raro objeto:

—Miren ustedes, el mal está en el corazón. Sólo porque la enferma es joven, ha podido resistir. Los enemigos dirigieron sus ataques al centro de la vida. Fue sin duda aquella espina muy grande que arranqué de una de las figuras de *cua-ámatl,* la que causó, sin intentarlo en ella, la dolencia. Pero sanará...

El brujo, paso a paso, con la lentitud de un sacerdote, fue a tomar asiento en un banco de madera. Parecía preocupado. Dijo al casero que le sirviera un vaso de aguardiente y, apenas dio el primer sorbo, comenzó a decir lentamente, como si recordara con algún esfuerzo:

—Había una *ixpócatl* hermosa, casi una princesa, hija de un poderoso cacique, a la que también le dolía el pecho. Cuentan los viejos que era tan bella, que a su paso, por los caminos del cacicazgo, las flores se inclinaban, reverenciándola; cuando ella salía a sus jardines, los pájaros se olvidaban de cantar, sólo por admirarla; y que, por las noches, las estrellas se prendían como flores en las ramas de los limoneros, sólo para alumbrarla mejor. La muchacha, hija del cacique, amaba a uno de los jóvenes guerreros, súbditos de su padre: nadie como él para la guerra; no había quien le igualara en la danza del *volador;* y era tan gallardamente bello que todas las mujeres se ruborizaban al mirarlo. Pero otro cacique más fuerte que el padre de la princesa, pidió la mano de ella para su hijo. Ni siquiera se atrevió a exponer que amaba a un hombre de su raza. Como hija hecha a las disciplinas de la tradición familiar, accedió sin protesta, con mayor razón cuando el viejo comentó alegremente que la alianza de los cacicazgos traería grandes ventajas, pues que ya juntos los dos poderíos iban a emprender la conquista de los pueblos bárbaros, habitantes de las regiones por donde duerme el sol. Las fiestas de la boda duraron toda una luna. Cuando alumbró la luna nueva, la princesa fue llevada por su esposo, en hombros de cuatro guerreros distinguidos. Pero la princesa enfermó bien pronto. Aunque le ofrecían los más ricos manjares y las flores más delicadas, ella no hacía otra cosa que suspirar y decir que le dolía el corazón. Y suspirando murió una noche en que fue plena su primera luna de ausencia. Su esposo la lloró mucho, y con él la lloraron todos los súbditos. Donde fue sepultada brotó una rara planta que luego dio una no menos rara flor que tenía la forma de un corazón: por eso le dieron el nombre de *yoloxóchitl.* Los más famosos sabios fueron llamados por el cacique para que dijeran qué clase de flor era aquella para todos desconocida. Los sabios dijeron que aquella planta representaba el amor, lo que todos llamaban *tlazotlaliste,* enfermedad del cariño, fiebre del afecto. Y cuando el cacique y sus guardias se fueron, los viejos se quedaron pensando mucho, por mucho tiempo, mirando la rara planta. Por fin, el más viejo descubrió el secreto que ha llegado hasta nosotros como delgado hilo de agua que pasa por estrecha juntura de enormes rocas: "si a la víbora se le sacan los sesos como benéficos contra el propio veneno; y si al pie de cada hierba mala se halla la *contra,* es lógico que el *yoloxóchitl,* la flor del corazón, sirva para curar los males del corazón..."

El esposo, el joven de oficio cazador, el mismo que por montaraz hallara moribundo junto al cerro a su enemigo victimado por los blancos, apenas oyó las últimas palabras del brujo, se colgó el machete y salió de la casa a grandes zancadas, para ir a buscar en los bosques más espesos, en los valles más hondos y en los cerros más altos, la flor del corazón.

*

La medicina recomendada por el brujo y que fue hallada en lo más cerrado de los montes, surtía sus efectos en forma muy lenta. La muchacha, aunque ya no se quejaba como antes, seguía llevándose la mano al pecho, como si el menor movimiento la fatigara.

La mata del *yoloxóchitl,* cogida con toda la raíz, fue plantada junto a la casa. Con tantos cuidados puestos en ella, no se le secaron ni los botones más tiernos. En cada rama, una flor, mejor dicho, un corazón. De ella tomaba la joven, todas las mañanas, un botón; y entonces su hombre recordaba la leyenda de la princesa.

El viejo, ante el peligro de su nuera, cuyo alivio resultaba tan remoto, resolvió llevar el caso ante el consejo de los ancianos. Por su situación de hombre distinguido, le fue fácil reunir a los *huehues.* La junta fue en su propia casa donde, aquel día, se respiró limpieza: el patio y el corredor, muy bien regados y barridos; adentro, suficientes asientos para los visitantes; en el fuego, una gran olla con el manjar del agasajo; y en una repisa de madera blanca, una morena botella de aguardiente.

Fueron puntuales. Sentados en bajos trozos de leño, como estatuas de bronce con blancas vestiduras, los viejos esperaron la exposición que se les iba a hacer. El casero comenzó por ofrecerles tabaco en rama, del que dijo haberlo conservado fresco en hojas de plátano y que era de sus escasas matas, sembradas en un rincón de su labor, cerca del agua para suplir con el riego las impuntualidades de la lluvia.

Alzándose el calzón hasta la rodilla, en ésta torcieron los viejos su *iyatl*, mientras que el casero pasaba ofreciendo la lumbre en la punta de un tizón. Cuando comentaban la calidad del tabaco, les fue brindado un trago de aguardiente. La botella pasó de mano en mano, desde el más viejo hasta el menos *huehue*.

Por fin, el casero comenzó a exponer sus asuntos, no sin excusarse por haberse permitido llamarlos a su casa. Recordó los antecedentes de la muchacha, disputada por su hijo, al lisiado. Trajo a cuento la junta en que los mismos viejos le concedieron la justicia... Pero —agregó— su rival, no conforme con el fallo, le había declarado la guerra, con la circunstancia de que la brujería no hizo efecto ni en él, ni en su hijo, ni en su mujer, sino en la muchacha, a la que le dolía el corazón; era una de las heridas causadas por una de las espinas que el brujo su enemigo clavara en el *cuaámatl*, como en propia carne.

Acabó por pedir el castigo. Los ancianos, al enterarse de que se trataba de un caso de brujería, se levantaron y así oyeron el resto de la queja. El más viejo, a nombre de todos, explicó su actitud: ellos no podían resolver sobre un caso así; que sus experiencias, con ser grandes, no podían ir hasta un completo esclarecimiento de la verdad; que si se hubiera tratado de un terreno en disputa, de la propiedad litigiosa de una gallina o bien de una riña, para eso estaban ellos, para hacer justicia, pero de un caso de brujería...

Era el viejo temor a todo aquello que está más allá del entendimiento. Los viejos se marcharon discretamente, haciendo campanear sobre sus pies descalzos sus anchos calzones de manta.

HOMBRE DE MONTE

El *cuatitlácatl* regresó a su casa después de dos semanas de ausencia, durante las cuales estuvo entregado a los trabajos que a él menos le gustaban: el corte de leña para un trapiche del mestizo, el abastecimiento de pastura para las yuntas de la misma molienda y el interminable atizar del horno.

Precisamente por su falta de afición a la agricultura, él ni sembraba ni cosechaba, pues por algo le llamaban el *cuatitlácatl*, hombre del monte, cazador. Mientras los demás iban a limpiar la tierra para la siembra, él buscaba por los bosques la mejor presa, acompañado de sus perros. En tanto que los demás cosechaban y llenaban sus pequeños graneros, él expendía las pieles y cambiaba la carne por los alimentos propios de la tribu.

Otro de sus principales ingresos lo obtenía como *coaténquetl*, es decir, como poseedor de culebras. Esto consistía en proporcionar un *mazacóatl*, o culebra-venado, nombre que se le da porque su hocico es semejante al del ciervo, a todo aquel que lo necesitara para limpiar de tuzas, ratones y toda clase de alimañas, su campo de labor.

El *mazacóatl* es grande y fuerte, pero no es venenoso. Es tan domesticable que suele vivir, inofensivo y bonachón, en los mismos hogares de los indígenas.

En cuanto el *cuatitlácatl* sabía de alguno visto en los montes, iba en su busca. Después de rodeos y preparativos en que intervenía principalmente la observación, ponía al alcance de la culebra una presa que por su tamaño pudiera provocar el aletargamiento. Era entonces cuando aseguraba al reptil y cargaba con él a su casa. Después era el verdadero trabajo, el de educarlo: un silbido peculiar y luego la entrega del alimento diario, forzosamente una presa viva.

Los vecinos solicitaban periódicamente los servicios de las culebras del *cuatitlácatl*, para que destruyeran las plagas de roedores que dañaban sus sembrados en pleno fruto.

El *mazacóatl* es abandonado en el campo de labor, donde se dedica pacientemente a la caza. Pero, para que no se marche a otros campos, el dueño del sembrado necesita llevarle con frecuencia algún presente. Al silbido, se arrastra, pesado y rolludo, en busca de su tutor.

Varias de esas culebras tenía alquiladas el *cuatitlácatl*. El pago consistía, casi siempre, en una gallina ponedora, en un pequeño marrano, o bien en unos cuartillos de maíz o de frijol. El hombre, al entregar a los interesados sus extinguidores de ratas, hacía la advertencia de que se les tratara bien, porque, aun cuando parecían tan mansos, una vez enfurecidos constituían, hasta para él, un serio peligro. Pero lo que más recomendaba era que, de haber tomado aguardiente, no se les acercaran, porque son completamente irritables al simple olor del alcohol.

Una vez, un indígena alquiló para su labor un *mazacóatl* tan grueso como el muslo de un hombre, y tan largo que en sus anillos se hubiera ahogado fácilmente un leopardo. Bien pronto comenzó a verse que el daño disminuía en el campo de labor. De no transitarse, los nidos de tuzas se fueron tapando de basura. Aun en las tardes que amenazan lluvias, cuando reina una gran inquietud en todo lo montaraz, ni los ratones daban señales de vida. Era que la culebra había trabajado activamente.

Cuando el dueño de la milpa se convenció de que la culebra ya no tenía qué hacer, se dispuso a devolverla a su propietario. Familiarizado ya con ella, después de un agasajo predilecto, le fue fácil meterla en un enorme cesto, cuya boca tapó con una manta.

Llevando a cuestas su valiosa carga, el agricultor tomó el camino de la ranchería. Pesaba tanto, que en la cuesta se vio precisado a descansar repetidas veces. Y, cuando llegó a una venta, de esas que en las orillas de algunos caminos son como estaciones forzadas de todo caminante, depositó su carga en una banca y se acercó al ventanuco a empinarse un aguardiente. Recordando la advertencia hecha por el dueño de la culebra, el bebedor echó a ésta un vistazo... ¿Qué podía hacer, si estaba, de hecho, prisionera y, además, ya habían concertado una amistad que rayaba en la confianza? Convencido, el hombre apuró otro vaso de caña.

Reanimado, pero menos prudente, se echó a cuestas su carga; pero, apenas había iniciado la marcha, la culebra comenzó a agitarse. Con un violento impulso logró desprender la manta que tapaba al cesto. Inmediatamente descargó sus enormes mandíbulas en la nuca del hombre, haciéndole caer. Después, lo azotó con la violencia con que el perro, en riña, azota contra el suelo al gato...

Fuera de ese desgraciado suceso, el alquilador de culebras siempre salió con bien: los clientes se conducían con prudencia y pagaban el alquiler con toda formalidad.

De vez en cuando tenía que abandonar sus actividades predilectas. Era cuando los *topilis* le decían que le tocaba su turno para ir a trabajar en las haciendas del valle o bien en las labores domésticas de los funcionarios del pueblo. La primera semana, sometido al mezquino jornal asignado por tradición, fue difícil e impaciente, por la falta de noticias de su mujer, a quien había dejado todavía enferma, a pesar de las primeras curaciones con el *yoloxóchitl.*

Pero el haber tenido noticias de una mejoría y, luego, el habérsele ofrecido una escopeta en pago de sus trabajos correspondientes a la segunda semana, aligeraron la carga. Fue el constante pensar del cazador que, por primera vez, sumaría a su fuerza y a su perspicacia el auxilio poderoso del arma de fuego.

El regreso a la ranchería lo hizo fraguando mil proyectos, en tanto que acariciaba con la mano el arma suspendida gallardamente de uno de sus hombros: con ella, con el machete y con los perros emprendería no tan sólo la caza del venado y del jabalí, sino hasta la del leopardo y la del tigre. Después engallardó más su andar con el pensamiento belicoso: ¡si sus enemigos y los de su familia insistían en causarles males mediante los brujos, acaso los liquidara con una lluvia de municiones!

A pesar de los escasos recursos de cacería con que contaba él y con que contó su padre cuando fue joven y cuando vivió también del monte, ¿qué secreto podía escapársele una vez que aprendiera a manejar hábilmente la escopeta? Nadie como él para instalar disimuladamente en las veredas los *tlapehuales,* esas trampas en que caen las alimañas que se dirigen al aguaje o a los sembradíos: un carril, una combinación rudimentaria entre el peso de la presa y el toldo todo cubierto de piedras. A la bestia le basta con pisar uno de los soportes, para que la trampa, vertiginosamente, se derrumbe. De acuerdo con la resistencia de la presa ambicionada, es el peso que se le destina.

Pero su procedimiento favorito era la cacería con los perros, preferentemente en los días nublados, porque entonces resisten durante varias horas, hasta cansar al venado. Por eso, al llegar a su casa, apenas se enteró de la salud de su mujer, se puso a examinar sus perros, acariciándolos amorosamente al echarles mano, pues saltaban en torno suyo como unos niños, de pura alegría.

La madre, el viejo y la esposa examinaron con gran curiosidad la adquisición: la escopeta ganada con una semana de trabajo. Con ella había recibido también un garnil, hecho con una piel de zorra; y en él, suficiente pólvora, postas y fulminantes. Además, le habían dado la explicaciones necesarias para el manejo.

Entrada la noche, la vida familiar siguió su curso. A la luz de un fogón en que cocinaba, a pesar de estar enferma, la mujer del *cuatitlácatl*, y con la ayuda de un ocote encendido, el viejo tejía una pequeña cesta de bejuco; la vieja hacía un bordado de estambre en un *huipil;* y el joven cazador limpiaba su escopeta, todos callados, como poseídos por sus propios pensamientos.

Con una hilacha atada a la punta de la vaqueta, limpiaba y limpiaba el interior del cañón, por el que metió un ojo y luego sopló con la desconfianza de un armero. El zumbido del aire, al salir por la chimenea, denunciaba la limpieza del cañón... Por último, con un gran cuidado, propio de un novato, aplicó el fulminante, dejando caer con toda lentitud el martillo.

Durante esa operación, los perros lo observaron con una mirada casi humana. Eran tres de esos perros al parecer despreciables, de largo hocico, de orejas paradas, perros de indio, pero de una resistencia igual a la de sus parientes más cercanos, los *tepechiches,* perros del cerro, esos tenaces cazadores negros, de collar blanco, que tras correr todo un día derriban al venado, para comerle, tan sólo, un pedazo de entrañas.

Los dos hombres acercaron sus bancos a la lumbre y se pusieron a cenar. La muchacha, sentada en el suelo, aplaudía haciendo las tortillas que después echaba muy extendidas sobre el comal. La anciana ayudaba a los pobres preparativos, acercando la jícara del agua y la taza de coco en que estaba la sal.

Los perros se habían arrimado también y miraban a los dos hombres con la misma atención de cuando el muchacho preparaba la carabina. Cuando les arrojaba un pedazo de tortilla, sobrante de un bocado, perdían sus actitudes hieráticas, para adoptarlas, otra vez, atentos, inmóviles.

Al terminar la cena, consistente en unos frijoles servidos en un plato que sostenían las rodillas, en un poco de chile, un grano de sal, una hierba olorosa y las tortillas calientes, los dos hombres se levantaron para ir a recibir el fresco en el corredor.

La muchacha, tal vez cansada de su actitud, se levantó aplicándose una mano al pecho, como si el dolor no hubiera desaparecido completamente aún. De pie, exhibía ostensible su embarazo, tan avanzado que la gruesa falda se le alzaba por delante, dejando descubiertos los pies descalzos y el nacimiento de la pantorrilla.

*

Con la cabeza descubierta, con las piernas al aire, respirando ampliamente, el *cuatitlácatl* se internó por el monte, seguido de sus perros, hacia los lugares donde podía cazar libremente.

Llevaba al hombro la escopeta, fierro ahumado y visiblemente de muy poca eficacia. Le cruzaba el pecho una negra correa de la que pendía el garnil. De su cintura colgaba un corto machete, pues el acero largo resulta un estorbo en la breña.

Los perros, que por enjutos parecían hechos de carrizo, se paraban frecuentemente a olfatear en las hierbas. Quien no haya visto trabajar a los llamados perros de indio, no sospecha su tenacidad y su resistencia. No son como el perdiguero, que persigue al venado casi al paso y por lo tanto sin que se cansen perseguido y perseguidor. Al perro fino le basta con no perder la huella, siguiendo con calma los pasos de la presa, la que, en repetidas ocasiones, tras una carrera, se para a oír, y, si el enemigo se acerca, vuelve a correr, para detenerse otra vez, levantando una mano, con la que escucha, según la conseja de los cazadores. Al perdiguero le basta con eso, pues lo demás corresponde a su amo, es decir matar a balazos la presa.

Los perros del *cuatitlácatl*, como todos los de su raza, eran de los que corren con todas sus fuerzas y sin descanso, por todo un día, hasta cansar al venado y derribarlo. Ellos no confían en la escopeta del amo, sino tan sólo en sus propias fuerzas, como sus hermanos los *tepechiches,* perros del cerro aún no sometidos a la voluntad del hombre.

A la orilla de un arroyo, donde la tierra era húmeda y blanda, el cazador descubrió las recientes pisadas de un ciervo. Cada pisada, inconfundible por larga y puntiaguda con la de cualquier otro animal de pezuña hendida, era como una hoja doble pegada a la tierra. El cazador seguía los pasos del montaraz, y los perros ya se le adelantaban agitando el rabo en señal segura de que el olfato ya había percibido algo. Las huellas se perdieron en un pequeño pedregal, pero bien pronto las halló en una ladera donde, por haber resbalado, las pezuñas resultaban de una longitud inverosímil. Los perros partieron hacia la espesura, disputándose la vanguardia.

El hombre era todo oídos. La escopeta pasó del hombro a las manos. De pronto se escuchó un nervioso alarido. Era que uno de los perros había levantado al ciervo, en su escondite. Bien pronto fueron dos perros los que ladraban. Después fueron todos, produciendo un escándalo.

El cazador corrió por el monte y por el cauce de un arroyo seco y fue a apostarse en una hondonada que era pasadero en las batidas de aquel lugar. Pero el ciervo, presentido en los secos golpes de sus saltos, lo advirtió a corta distancia. Torciendo de rumbo, tomó hacia las vegas.

El cazador consultó por entre los claros del follaje el estado del cielo. Prevalecía una neblina prometedora de las posibilidades de una larga carrera: bien podían dar los perros dos vueltas por las vegas y regresar a la sierra. Cuando el sol es muy fuerte, la batida no puede ir más allá del medio día. Los ladridos ya se oían muy abajo. El cazador trepó a una altura y comenzó a gritar a sus perros, animándolos. Se alejaban más y más, por momentos. Los alaridos no eran reposados, como los gritos de los perros finos, sino nerviosos y vibrantes, como si ya mordieran las zancas del fugitivo.

Después de un largo rato no se escuchó nada. El cazador comenzó a correr por las veredas bien conocidas para él, descendiendo; pero nuevos alaridos lo detuvieron en su carrera. Se detuvo para oír. Iban ganando en fuerza, lo que indicaba la creciente proximidad. La presa regresaba a sus lugares predilectos, siempre en su empeño de burlar a sus perseguidores.

El *cuatitlácatl* buscó el sitio por donde el venado tenía que pasar. Comenzaron a oírse los saltos. Pudo escuchar el apenas perceptible romperse de una rama seca. El hombre podía confundirse con un tronco quemado en el último incendio del monte. El venado, con la cabeza baja, humillada bajo el peso de los enormes cuernos y eludiendo bejucos y breñas, pasaba ágilmente, a unos cuantos metros.

Apunto y tiró del gatillo. Pero el fulminante no dio fuego, perdiéndose la preciosa oportunidad de poner término a la cacería. A poco, pasaron los perros, jadeantes, como desesperados al no alcanzar la presa.

Perseguido y perseguidores dieron una larga vuelta por la serranía. El sol comenzaba a abrirse paso entre las nubes y el calor se intensificaba. El cazador esperó el curso de la batida. Con un gran rodeo, el venado ganó otra vez la dirección del valle. Sin duda ya no regresaría, pues el hombre conservaba la experiencia de otros fracasos. Por eso, después de animar a los perros con algunos gritos, corrió hacia abajo, resuelto a penetrar en los terrenos de las haciendas donde sus actividades, como bien lo sabía, no eran bien vistas.

Ya al medio día, bajo un fuerte sol, el venado, que no lograba librarse de sus perseguidores, buscó refugio en una ancha laguna orlada de espesa vegetación. Después de lanzarse resueltamente, braceó con torpeza a causa de la fatiga, yendo a esconderse en un recodo. Hasta allá fueron los perros a atacarlo.

El *cuatitlácatl* llegó a tiempo que por una vereda asomaban varios hombres a las órdenes de un capataz. Fue que, al oír los ladridos de los perros, abandonaron sus trabajos para ver si caía en su poder el venado. El ciervo, apenas hubo descansado un poco, intentó escapar, pero le cerraban todo camino en medio de una gritería.

El cazador se lanzó al agua. Nadando en silencio, se fue acercando. Cuando estuvo a unos cuantos metros se sumergió y, tirando por las patas del ciervo, lo hizo hundirse. Después, aprovechando el atolondramiento del animal, saltó a su cabeza y tomándolo por los cuernos lo sumergió hasta ver que dejaron de salir burbujas a la superficie del agua.

Fue sacado a tierra: robusto el cuello, redonda el anca, finas las extremidades. Los perros, todavía fatigados, le lamían los belfos, como queriendo hincar el diente. El *cuatitlácatl* se sentía orgulloso, sin acordarse de que se hallaba en tierra prohibida. Vino a recordárselo la presencia de aquellos hombres que no eran de su raza. Entre ellos se hallaba nada menos que uno de los capataces de la hacienda, quien a las claras estaba revelando su estado de ánimo, tan sólo con la mirada que dirigía al venado muerto.

El indígena comenzó a explicar humildemente que el ciervo había sido levantado por los perros fuera de la hacienda, en la sierra. La explicación era toda una excusa por haber penetrado en los terrenos del amo. Pero el capataz replicó que las explicaciones no le interesaban: el venado había caído dentro de la jurisdicción del amo y todo lo que se hallara dentro era de él.

Después de muchas súplicas, el capataz se conformó con lo mejor: los dos cuartos traseros.

En el mismo sitio, el cazador se puso a despellejar las piernas del ciervo, con el cuchillo. A medida que desprendía el pellejo, iba apareciendo la carne sonrosada, aún tibia, toda cubierta de grasa en la entrepierna y en la verija.

Mientras el indígena trabajaba, arrojando de vez en cuando una piltrafa sanguinolenta a sus perros el mestizo lo amonestó sin cansarse: que no volviera a meterse a los terrenos del amo, pues que para otra vez mataría los perros a balazos o se tomaba toda la pieza. El cazador prometía no hacerlo más.

Tal vez para mover la compasión del capataz, comenzó a contarle que no hacía mucho los jabalíes le habían matado al mejor de sus perros. Por más esfuerzos que hizo para salvarlo, todo remedio fue ineficaz. Lo sintió tanto como a un hermano, como que fueron muchos sus servicios: por eso le dio sepultura y le puso en el cuello un pañuelo con un peso en centavos, para que pudiera comprar sus tortillas en el camino a la otra vida.

*

El cazador ya regresaba a la ranchería por entre el monte, siguiendo las veredas para él familiares, poniendo los pies desnudos en la tierra negra y blanda, donde ya había otras huellas: hendidas unas y plantígradas otras.

Llevaba a las espaldas el ciervo mutilado. La cabeza, de gran cornamenta, sometida por un lazo, parecía lamer el flanco izquierdo. La cola era como una espiga de caña que se agitaba con la punta hacia el suelo. Los perros iban gozosos. En algunos lugares olfateaban la hierba, tal vez presintiendo la proximidad de otro animal. Cuando caminaban siguiendo los pasos del cazador, se detenían a lamer las gotas de sangre, que eran como circulillos rojos en el verde tierno de los helechos.

El hombre iba encorvado bajo el peso de su carga. En algunos sitios se paraba, sudoroso, resoplando en un ancho desahogo. La vereda era como una culebra tendida entre el monte, ondulante y negra. Bajo el calor, todo parecía amodorrado. Silencio profundo, cuando no se sabe si son las sienes las que laten o si es la montaña.

De pronto, a unos cuantos pasos, entre la maleza, sonó el pujido peculiar del jabalí, algo así como un golpe seco en una piel restirada, precisamente de lo que viene al animal el nombre de *tamborcillo*. La respuesta, por parte de los perros, fue la arremetida por entre la espesura.

Más allá se alzó el escándalo de cien tambores en un sonar furioso, como estimulando a la pelea. Era toda una manada de puercon salvajes que tal vez peregrinaban en busca de otros bosques más ricos en frutas silvestres. Algunos de los jabalíes adultos, ya asomaban sus estúpidas cabezas por entre las hierbas, arremetiendo contra los perros, mientras que éstos, con los lomos erizados y mostrando los dientes, retrocedían ante el ataque.

El cazador, consciente del peligro, arrojó su carga y empuñando su carabina se dispuso a disparar en la primera y mejor ocasión que se le presentara, seguro de que el olor de la pólvora espantaría la manada. Un macho de enormes colmillos blancos a guisa de mostachos enhiestos, salió de la maleza y avanzó resueltamente, en seguimiento de uno de los perros.

Al sonar el disparo, el jabalí cayó de bruces y, cediendo al impulso que llevaba, aró la tierra con el hocico, pujando como un cerdo que se baña en el lodo. Tal vez aquella voz moribunda fue interpretada por los demás, porque, la estampida provocada por el disparo, se contuvo bien pronto y, retrocediendo la avalancha, ésta se lanzó nuevamente sobre los perros y el *cuatitlácatl*. Con una ligereza increíble para unos remos tan cortos, los jabalíes describían trayectorias diagonales, pues no hieren de frente sino que, de paso, buscan la tangencial en que el colmillo da el tajo en los ijares del perro o en la pantorrilla del hombre.

El cazador, imposibilitado para volver a cargar su arma de un tiro y ante la superioridad del enemigo, retrocedió ágilmente; y ya había saltado al tronco de un árbol donde ponerse a salvo, cuando el grito de uno de sus perros lo reintegró a la tierra, machete en mano.

No podía abandonar a sus cachorros. Uno de ellos, se arrastraba ya, gravemente herido, quejándose, en su busca. Con la actitud del combatiente: un pie tendido en el avance y otro replegado para el salto de retroceso, esgrimía su arma por sobre los puercos de cerdosos lomos que pasaban velozmente a su alcance.

La maleza se movía, agitada por la furia de los jabalíes, denunciando la cantidad de ejemplares. Los pujidos de los *tamborcillos* resonaban en todo el monte. Al fondo de la pequeña hondonada se oía el gritar de las crías, donde tal vez las replegaron, como hacen las reses adultas con los terneros, al sentir la proximidad del tigre.

El cazador, aunque materialmente sitiado, estaba resuelto a no abandonar el escaso terreno de su dominio, tan escaso que podía medirlo el largo de su brazo y del machete. En medio de ese reducto, entre los pies del hombre, se hallaba el perro herido.

Los otros cachorros estaban parapetados en una tupida mata de otates, de la que apenas sacaban medio cuerpo cuando el ataque de los jabalíes era menos agresivo. En los tallos tiernos, los colmillos de los atacantes dejaban hondas cortadas.

Un jabalí, mañosamente, pasó a regular distancia del lugar en que el más valiente de los perros se hallaba plantado en actitud defensiva. El perro, engañado por el aparente recelo del jabalí, abandonó su parapeto completamente y, entonces, otro puerco le cortó la retirada. Sorprendido entre los dos adversarios, éstos se ensañaron en él. Su agonía fue un largo grito que terminó en punta.

El triunfo soliviantó más a la manada. El *cuatitlácatl* comprendió que sus medios de defensa iban disminuyendo, pues el perro que tenía a sus pies más bien lo comprometía; otro, ya había muerto; y el tercero, aunque más o menos seguro en su parapeto de otates, no hacía más que ladrar con acento que denunciaba el miedo.

En una de las ocasiones en que la avalancha arremetió y él pudo rechazarla con mayores efectos, llevando en sus brazos al perro herido, corrió con el ímpetu de ganar un árbol. Pero antes de que llegara al tronco más próximo y más propicio para la fácil ascensión, un jabalí le alcanzó en la pantorrilla.

Inmediatamente flaqueó la pierna. Cuando aún hacía esfuerzos y voluntad para el último salto, sintió otro golpe y después otros muchos. Los puercos pasaban tocando apenas su carne, al parecer, pero metiendo siempre el colmillo. Al convencerse de la inutilidad de su afán, puso en tierra al perro herido y quedó en cuclillas, porque ya no pudo levantarse. Así, todavía manejó el machete durante algún tiempo.

El ataque se hizo aún más furioso por parte de los jabalíes: golpes por los costados, por la espalda, por delante y con cada golpe una herida. Eran como grandes moscas asediando a una res enferma que aún se defiende.

El corto machete iba resultando del todo ineficaz. Por fin, el cazador cayó al suelo, junto al perro herido. La manada se aglomeró gruñendo de rabia sobre el cazador y sobre el perro.

Saciada la cólera, los *tamborcillos* iniciaron la marcha, pero llevándose a golpe de trompa al jabalí muerto desde un principio de la pelea. Así lo hacen cuando el pánico no los obliga a abandonar a sus hermanos heridos o muertos, como si quisieran reanimarlos o conducirlos hasta un escondite. Casi siempre, después de empujarlos un trecho regular por entre el bosque, acaban por meter el diente y comer de su propia carne.

Fueron los aullidos del único perro que se salvó, los que guiaron al viejo que por la noche buscara afanosamente a su hijo.

*

Según se imaginaba las cosas, así contaba la tragedia montaraz el padre del *cuatitlácatl*. Y se obstinaba en que todo había sido una fatalidad, deseoso de quitar de la mente de los vecinos la detestable versión.

Fue que la brujería puso una nueva inquietud en los espíritus. Cuantos vieron el cadáver del cazador, todo lleno de heridas, sostenían que éstas no fueron causadas por los colmillos de los jabalíes, sino que eran las huellas del *tlahuelilo,* el diablo mismo en que se había convertido el espíritu del *nahual,* del que todos venían esperando la represalia.

Decían que solamente él, con todo su poder, pudo haber cercado al cazador en mitad del monte. ¿Cómo los ojos del *cuatitlácatl,* tan expertos que eran capaces de burlar al ciervo, no vieron la manada de jabalíes, para ganar a tiempo un árbol? ¿Cómo su olfato, más fino que el de un perro, no pudo advertirlos? ¿Cómo sus oídos no escucharon el paso de la manada, si el cazador era capaz de advertir el deslizarse de una víbora por el agua? No les cabía duda: ¡el espíritu del que murió en forma animal, vagaba por los montes, tomando venganza de sus enemigos!

Durante aquellas noches, en todas las casas de la ranchería quemaron *copal* para espantar al espíritu temido, con la desconfianza y el temor de quien pone una gruesa tranca a su puerta.

OTRA VÍCTIMA

Por orden del juez de la congregación una centena de individuos, entre naturales y mestizos del campo, buscaban río abajo a un mensajero. Se trataba nada menos que del indígena, ya viejón, que sostenía con su vecino la enconada lucha a base de brujerías, el padre del muchacho lisiado a quien los blancos exploradores redujeron a la condición de un ser inútil.

La creencia de cuantos lo buscaban era de que se había ahogado, pues que de haber podido ganar la orilla, para entonces ya se le habría visto por alguna parte. El último informe de él era el que daba el matrimonio del ranchito prendido sobre el cantil, junto al vado.

*

El indígena llegó cuando el sol ya tenía unas dos *garrochas* de alto y, mientras se tomaba una *caña*, les dijo del objeto de su viaje: estando como *semanero* en el pueblo, el presidente municipal lo enviaba con unas cartas muy urgentes, en calidad de correo, al otro poblado. Aunque ya entrado en años, lo escogieron a él porque era bien conocida su habilidad para cruzar los ríos crecidos: ninguno como él para manejar el *acuáhuitl*, el tronco de madera fofa con que los campesinos vadean las corrientes, como en un caballo.

Los del rancho le aconsejaron que debía esperar a que bajara un poco el río, porque en esos momentos iba sumamente crecido. Pero el indígena se sonrió desdeñosamente y dijo tener órdenes de regresar con la luz del día. Mientras eso decía, miraba a su compañero de hazañas, el trozo de madera, recargado en la empalizada.

El natural agotó el contenido de su vaso y, golpeándose el pecho dolido por la fuerte calidad de la bebida, se dispuso a partir. El campesino de la casucha aún lo detuvo para hacerle algunos encargos del pueblo: tabaco y pólvora; la mujer encargó sal y jabón.

Con su madero al hombro bajó por la pendiente hasta la orilla
del río, el que, de tan crecido, ni rumor hacía: estaba,.como dicen
los campesinos, hecho una cuerda. En derredor a la copa de su
sombrero ató la camisa y el morral en que guardaba las importantes cartas del funcionario, sus alimentos de mediodía y el dinero
de los encargos. Después se alzó los calzones perfectamente enrollados, hasta el nacimiento de los muslos. De la cintura se quitó
una cuerda, con la que puso una rienda a su caballo de madera.

Ya listo, avanzó por la turbia corriente, aun alzando el tronco.
Con él a cuestas, parecía un presunto mártir conduciendo una
cruz incompleta. Al llegar donde el agua le daba a la cintura,
apoyó el vientre en uno de los extremos del *acuáhuitl* y, enderezan-
do el otro extremo un tanto contra el ímpetu del río, se lanzó,
nadando.

La mano izquierda sostenía la brida, enfrentando siempre la
cabeza del *caballo* a la corriente, mientras que con la mano derecha
y con las piernas se daba impulso, hábilmente. Cruzar en línea
perpendicular era imposible y jamás nadador alguno podía esperar-
lo, pero con la ayuda del *acuáhuitl* el empuje de las aguas es menos brusco y se reservan mejor las fuerzas.

En los tumbos, el hombre subía y bajaba, en un balanceo,
ganando siempre distancia. Desde el cantil, el hombre y la mujer
de la casucha lo miraban alentándolo con gritos en los trances más
difíciles.

Quinientos metros río abajo, entre el encarrujamiento de las
pardas aguas, aún se veía intermitentemente aparecer y desaparecer
el sombrero. Por fin, lo vieron ganar la orilla y subir por el pedregal opuesto, con su madero al hombro. La mujer del rancho se
metió suspirando con satisfacción al ver que el natural había vencido en la lucha con el río. El hombre se quedó mirando con ojos
inexpresivos aquel paisaje de salvaje belleza en que el indio ya
resultaba algo fuera de todo interés. Lo vio cómo escondía en los
jarillales su trozo de madera, cómo se calzaba los *huaraches* y ga-
naba el camino.

Durante las siguientes horas, la mujer cantó, triste y monótona,
al mismo tiempo que hacía sus trabajos caseros. El hombre, sentado en una piedra al filo del cantil, fumó impasiblemente, viendo
pasar y pasar las aguas del río o siguiendo con los ojos el vuelo de
las garzas y de los *apapanes*. Fastidiado, sacó el hacha y se puso
a partir leña.

Cuando la mujer lo llamó a comer, entre bocado y bocado, dijo que el indígena ya estaría llegando al pueblo. Después de la comida, al mismo tiempo que exploraba los horizontes, dijo a la mujer que por las sierras estaba cayendo una tormenta: el cielo era *panza de burro* y lejos se oían sordos truenos. Tales fenómenos inspiraban temores por el correo que aún no regresaba. El hombre bajó dos o tres veces a la orilla del agua, para ver una señal puesta desde por la mañana en una piedra. Otras tantas veces regresó para decir que el río seguía creciendo. Fastidiado, ya en la tarde, se tiró a dormir en una banquilla del corredor.

Ya al caer la tarde, "como estaban pagando los drogueros", pues hacía sol y estaba cayendo un ralo aguacero, la mujer salió a recoger sus ropas y de paso echó un vistazo a la corriente: la piedra en que su hombre había puesto la señal ya no se miraba. El agua era color de cobre y sobre el lomo del río pasaban balanceándose algunos troncos.

Sonó un grito al otro lado. Hombre y mujer fueron hasta la orilla del cantil. Era el indígena que ya estaba de regreso. Lo vieron recoger del matorral su caballo de madera, quitarse la camisa, atar a su sombrero todos los enseres y avanzar río adentro con el madero al hombro.

El matrimonio, midiendo el peligro, comenzó a dar voces y a indicarle, con movimientos de brazos, que no se aventurara. Pero, tal vez, pudo más la orden recibida en el pueblo: el mensajero se lanzó.

Hubiera vencido como en la ocasión anterior, pues ya se hallaba a la mitad de la corriente aunque muy abajo del vado, pero río arriba se escuchó como el reventarse de una presa. Con más frecuencia comenzaron a pasar troncos y ramajes, sin duda porque el agua había barrido con todo un monte.

Uno de sus grandes troncos alcanzó al hombre que en vano hizo esfuerzos por cortar el agua más de prisa, a golpe de brazo y de pies. Desde ese momento no volvió a saberse de él.

*

Varios kilométros río abajo no se había dejado un remanso, un recodo, un paraje sospechoso, sin una detenida inspección. Los ojos expertos en distancias, habían examinado todo, en busca del ahogado. Las opiniones de los buscadores eran bien diversas: que la corriente se lo había llevado muy lejos, tal vez hasta el mar; que el cadáver, a lo mejor, ya estaba en la cueva de un lagarto y que éste, tentado por la putrefacción, ya se dispondría al banquete; o bien, que acaso estaba en algún sitio profundo, tapado por el cieno.

La atención se fijaba principalmente en los mejores auxiliares de tales casos: los zopilotes. Sus trayectorias eran seguidas con un gran interés porque, a lo mejor, allá donde terminaba el vuelo estaba el muerto.

Pero algunos volaban muy alto y, al parecer, sin objetivo, como ejercitando las alas, tan sólo para que no se les olvidara volar. Otros, que volaban planeando muy abajo, hasta posarse en la orilla del agua, lo hacían para devorar un pequeño pez muerto.

Cada nuevo indicio era motivo de otro desesperar. El sol alumbró verticalmente hasta el fondo de los remansos en donde brillaban las arenas recientemente lavadas por el diluvio, como si en ellas hubiera buscado pepitas de oro.

En ambas orillas, a la sombra de los árboles, se formaron grupos al derredor de las lumbres. Naturales y mestizos calentaban sus provisiones y comían en paz, algunos comentando cualquier incidente y otros mirando el río. Los indígenas eran de los últimos, sin que ni por una vez aludieran al hecho de que siempre eran los de su raza los victimados por la fatalidad. Cuando mucho, una vez que reanudaron la marcha, desviaban unos pasos para cortar guayabas cimarronas en los pedregales. Pero, en cambio, los mestizos fumaban sin dejar de hablar, como cumpliendo apenas con un mandato, pero sin que la desgracia les afectara sensiblemente. Un viejo de barba canosa y amarillenta, decía que: "esta era una mujer muy llevada por la mala, de esas que gustan de hacer repelar al marido, haciendo todo lo contrario de lo que se les ordena. Era tan dada a contradecir que, cuando su hombre le sobaba el lomo con el machete, diciéndole: "para que ya no lo hagas, maldita", ella le suplicaba que siguiera pegando, pues que sentía un gran placer. La vieja se ahogó y los vecinos se echaron a buscarla río abajo. Cuando ya tenían tres días buscándola, llegó el marido, que andaba de viaje, pues era arriero, y en cuanto supo de lo que se trataba sólo pidió que le indicaran el sitio de la desgracia. Se echó a reír como si le hicieran cosquillas al condenado, diciendo que todos eran unos benditos de tan inocentes, pues que no conocían la condición de las mujeres... Explicó que a su vieja siempre le había gustado ir contra la corriente y que en lugar de buscársele río abajo deberían buscarla en sentido contrario. Y así lo hicieron, hallándola bien muerta treinta leguas río arriba."

Los mestizos celebraron el cuento, pero los naturales, por la falta de un intérprete, permanecieron impasibles. Llegaron a un lugar donde el tupido follaje de la orilla impedía un examen minucioso. Había árboles que se inclinaban sobre las aguas como pacientes pescadores que echan el anzuelo, cuyas ramas bajas sin duda había alcanzado la corriente.

Los dirigentes ordenaron que algunos de los naturales, a nado o prendiéndose a las rocas de la orilla, fueran escudriñando todo. De los sitios más intrincados salían volando rumorosamente los patos de cabeza morada y uno que otro martín pescador.

Adelante, en los pedregales distantes que ya habían emergido de las aguas una vez pasada la creciente, se veía una rara figura, al parecer el cuerpo de un hombre. Todas las miradas convergieron en el mismo sitio y la marcha se hizo precipitada: era un tronco limado hasta lo blanco por las piedras y que conservaba dos brazos retorcidos.

Adelante, en un remanso oscuro a fuerza de profundo, se descubrió una mancha, una tonalidad sospechosa. Bien podía ser el cadáver, acaso prendido a un objeto pesado, pues a nadie se escapaba que, de estar libre, por el tiempo transcurrido tenía que flotar. Uno de los naturales se despojó de la camisa, de los *huaraches* y del sombrero y, enrollándose los calzones, avanzó hacia lo más hondo, nadando.

Sin perder la dirección tomada, interrogó con los ojos a quienes le observaban desde una prominencia. Cuando le hicieron la señal convenida, se encorvó en una actitud de nutria, hundió la cabeza, puso al aire los pies con que chapoteara la superficie, y desapareció por largo rato.

Al salir, bufando y con la cara amoratada por el esfuerzo, dijo por medio de ademanes que no había encontrado lo que buscaba. Ya en la orilla explicó que el engaño se había debido a una rama de álamo, que tiene hojas de cara inferior plateada.

Muy abajo, cuando ya llegaban a los límites de la otra congregación, los buscadores se quedaron parados sobre lo que podía llamarse el trampolín de la cascada. El río serpenteaba allá lejos, manso a tramos, espumeante e impetuoso a trechos. Cuando los ojos se habían saciado de lejanía, descubrieron más cerca, como a un tiro de fusil, que un zopilote hacía columpios sobre las arboledas de la orilla y que a cada vuelta bajaba casi hasta tocar la superficie del agua, como atisbando bajo unos otates que se inclinaban sobre la corriente. El zopilote, después del atisbo, rápidamente, viraba, alzándose otra vez por encima de los árboles.

Todos los buscadores permanecieron atentos. En una de sus vueltas, el ave se paró en una rama baja. Estiraba el cuello, observando desconfiado. Después, en un salto, como si hubiera intentado, absurdo, posarse en la superficie del agua, descendió con cuidado, alzando las alas. En esa actitud hundía el pico en el agua.

Los buscadores no esperaron más. Descendieron por los cantiles, avanzaron por las orillas y cuando ya algunos asomaban por los matorrales, el zopilote voló para situarse en una de las más altas ramas, observando.

Era el cadáver buscado. Una rama baja, prendida al calzón de manta, lo había detenido en su viaje al mar. Sin formalidades de ley, entre la algarabía de los mestizos y el silencio de los naturales, el cadáver fue llevado hasta la orilla donde se le colocó en una pulida cantera que más bien parecía una lápida.

Todos lo reconocieron inmediatamente, a pesar de que estaba horriblemente abotagado y de que los charales le habían comido los labios y los párpados. Uno de los mestizos, enterado de la contienda entre las dos familias, indicó que acaso la desgracia había obedecido a las artes del brujo, pues ¡cómo pudo haberse ahogado el más experto de los nadadores!

La indicación hizo que los naturales se apartaran un poco, al parecer temerosos de que el cadáver aún conservara algo del maleficio. Sobre la cascada, del lado del monte, apareció una extraña figura: busto de hombre y piernas de niño. Su andar parecía un balanceo: era el lisiado que también recorría el río en busca de su padre.

TERCERA PARTE

REVOLUCIÓN

Algunos de los que habían trabajado durante las últimas semanas en la servidumbre de los influyentes del pueblo, llegaron con la noticia de que algo muy grave estaba sucediendo entre la *gente de razón*. Dijeron que, cuando nadie lo esperaba, entraron a la población varios hombres armados, quienes destituyeron desde luego a las autoridades, dando muerte al jefe de las armas. Ellos, en vista de lo sucedido y como los recién llegados no los necesitaban para nada, se escaparon. Un viejo explicó que, cuando él era muy joven, tuvo la suerte de presenciar no pocas luchas de los blancos, porque éstos, como los naturales, también se hacen la guerra entre sí. Y les puso el ejemplo de las familias divididas por odios interminables, las que se buscan daños mediante las brujerías, hasta acabar con los padres, los hijos y los nietos. La diferencia consiste, agregó el viejo, en que los blancos se hacen la guerra con más eficacia, mediante el *amóchitl*, el plomo de las armas de fuego.

Por el temor, o bien porque ni los funcionarios ni los hacendados reclamaban los tradicionales servicios, los naturales ya no tuvieron faenas, ni trabajos forzados en las haciendas y, mucho menos, volvieron como *semaneros*. Hasta pasados algunos meses, después de una noche en que se escuchó constantemente el tronar de las armas, se recibió una orden: que llevaran pasturas y tortillas. Era que había entrado un fuerte contingente de caballería al pueblo.

Uno tras otro, como se alinean las hormigas en sus trabajos de aprovisionamiento cuando ya se acercan las aguas, fueron por el camino: unos, con el bulto de zacate a la espalda; otros, con los *chiquihuites* colmados de tortillas, pedidas como una contribución equitativa entre todos los de la ranchería.

Y eso fue por varias semanas. Las denominaciones de los bandos en pugna, decían bien poco a los oídos de los naturales. Procedían más bien por simpatías personales hacia algunos de los jefes armados o tan sólo por el temor en caso de no atender los mandatos.

Una noche volvieron a oírse fuertes detonaciones, como descargas cerradas. Al amanecer, las detonaciones apenas si puntuaron el silencio. Y al entrar plenamente el día, el traqueteo fue sin interrupción durante varias horas. Los defensores de la plaza fueron obligados a salir: así lo contaron quienes, en las cercanías del camino, los vieron pasar a toda prisa, sudorosos, con la huella inconfundible del que huye. Y así vieron pasar, en el transcurso de años, partidas grandes y chicas...

Fue hasta después de mucho tiempo que un cabecilla subió al caserío, para quebrar la calma propia de las alturas en que los naturales ya se creían para siempre. Había sido que el jefe de la partida, no conociendo la región, se perdió en una violenta caminata. Además de exigir víveres, reclamó una veintena de jóvenes para que le servieran de guías; pero los dotó inmediatamente de carabinas e hizo que caminaran en la vanguardia. Nunca regresaron.

EPIDEMIA

Tras una temporada de calores excesivos que acabaron con los sembradíos, se desarrolló una epidemia de viruela: unos creyeron que en verdad era el excesivo calor la causa del mal, mientras que otros lanzaron la versión de que el espíritu del *nahual* era el que pretendía acabar con todos. Tanto aquéllos como éstos recurrieron a sus prácticas tradicionales para combatir la enfermedad: dar de comer al cerro, a los vientos y a las aguas, no sin recurrir también a los baños de *temaxcal*, durante los cuales se daban fricciones con esa hierba que ellos conocen con el nombre de *tianguispepetla*, la cual derrama a flor de tierra su hoja menuda, y de ahí su nombre, que significa petate de plaza.

Cuando se presentaron las primeras defunciones, si se trataba de un niño, hacían baile con violín y chirimía; y, si era un adulto, lo velaban en silencio, pero en ningún caso les importaba el contagio a la vista de los cadáveres claveteados de puntos negros.

Pasados algunos días, ya fueron muy pocos los que asistían a velorios y entierros, a pesar de que los deudos proclamaran la posibilidad de un abundante repartición de aguardiente. Eran por entonces únicamente los familiares los que velaban, conducían y lloraban al muerto.

Aspecto desolado el de la ranchería. Por las noches, apenas una que otra luz. Desde al salir el sol, bultos pardos ovillados, junto a las puertas: los indios enfermos, envueltos en sus cobijas, sin enseñar más que los ojos, ojos inmóviles sobre el paisaje muerto.

Después se dieron casos en que los cadáveres permanecían insepultos. Fue entonces cuando el lisiado, como para comprobar que no le interesaba la vida o que él no le importaba a la muerte, dio agua a los enfermos y sepultura a los muertos. En muchos casos, ante la imposibilidad de cargar con ellos, cavó sepulturas en el interior de los hogares.

Un día, al ver cerrada la casa que fue de su rival, de aquel que lo despojó de la prometida, se arriesgó a inquirir. Queja de la puerta al abrirse. El lisiado metió el oído, auscultando. Dijo unas palabras en voz baja, que eran como un reclamo. Al no responderle nadie, avanzó resueltamente.

Vio sobre el *tlapextle* a ella. En la misma cama estaba también el niño recién nacido. Para un febricitante, ¡qué presente más grato que el agua fresca! El lisiado tomó la jícara y de la olla el agua. Fue a ofrecerla a la enferma, al parecer profundamente dormida. El niño también dormía. En la espera, puso el recipiente en el suelo. Mirándolos, era como una estatua de bronce enmohecida por el tiempo: perfecta la cabeza, inclinada en un atormentado pensar; inmóviles los anchos hombros; pero ¡qué doloroso contraste el de sus piernas empequeñecidas!

Después de esperar mucho, tendió la mano libre de muleta y la puso suavemente en la cabeza del niño. La mano se contrajo con rapidez: en aquel ambiente de fiebre a causa del clima, la criatura estaba fría. Miró entonces con mayor atención a la cara de la mujer —la que hubiera sido su mujer—, y hasta entonces cayó en la realidad...

Durante toda la tarde pensó y lloró, encerrado, haciendo compañía a dos cadáveres. Como no hubo quien le ayudara, junto a la cama cavó la sepultura, hizo rodar los dos cuerpos, les puso encima las prendas más queridas de la indígena, su jícara matrimonial, los collares de cuentas, el *quexquémetl* y el ceñidor serpenteado con rombos de estambre, y apisonó la tierra.

Después, silenciosamente, en medio de la noche cerró la puerta.

*

A los naturales no dejó de extrañar uno de los motivos de la visita. Desde tiempo remoto se habían acostumbrado a que en sus dolencias nadie acudiera a auxiliarlos. Las viruelas las habían soportado, no sin algunas pérdidas, en la misma y muda actitud de cuando la ranchería fue azotada por la peste, año tras año por la disentería y casi permanentemente por el *tzocoyote*, nombre con que ellos designan la tos ferina y con denominación parecida al más pequeño de los hijos, tal vez por asociación de ideas.

Los que notificaban la próxima visita del nuevo diputado por el distrito, explicaron desde luego que el alto funcionario se tomaba aquel trabajo sólo para ofrecer auxilios a los enfermos de viruelas, pues que la noticia de la epidemia había llegado hasta la ciudad. Y, como los *tequihuis* advirtieron que todos tenían la obligación de permanecer en sus casas durante el día domingo, privándose, algunos, de ir al río, y otros al *tianguis,* cuando llegó el representante popular fue recibido por una multitud.

Con su aire de funcionario prominente, con la pistola al cinto y montando un magnífico caballo, tenía el aspecto de un cabecilla. Cuando iba a apearse, no menos de tres manos se tendieron a las bridas, para recibir el caballo: dos eran del presidente municipal y una de su secretario. Los demás acompañantes se apresuraron a ayudar para que el distinguido visitante desmontara.

Los viejos de la ranchería se acercaron a presentar sus respetos. Los hombres jóvenes permanecieron a regular distancia, en grupos, atentos a lo que pudiera ordenárseles. Las mujeres estaban espiando tras las empalizadas de sus casas.

El diputado y sus acompañantes observaban la ranchería con la misma atención que todo viajero curioso a los sitios jamás vistos. La fatiga de los caballos, todos cubiertos de sudor y polvo, proclamaba lo intransitable del camino, andado en un tiempo correspondiente a una distancia cinco veces mayor. En los semblantes asombrados podía leerse tan solo una idea: ¡qué atraso!

Huyendo del calor, el grupo tomó asiento bajo un árbol frondoso. Todos se hacían aire con los sombreros y pedían agua. Tantos viejos como sedientos había, llevaron jícaras de vivos colores, bien llenas. Cuando se sintió más tranquilo, el diputado expuso su satisfacción porque, según podía ver, la epidemia de las viruelas ya había pasado, pues no se le presentaba una sola cara claveteada de costras más o menos frescas. Lo que se presentaba a sus ojos era la cara colectiva de la ranchería, toda cubierta de las picaduras perfectamente cicatrizadas. La abundancia de los *cacarizos* decía mejor que nada lo espantoso que fue el mal.

A la vista de los naturales jóvenes y desocupados, sucedió lo que a todo aquel que en "viendo caballo ensillado luego se le ofrece viaje"; es decir, que uno de los acompañantes propuso que los indígenas fueran por zacate para las cabalgaduras, las que bien podían comer en tanto ellos permanecieran en la visita. La idea no tuvo una sola réplica y, hasta fue mejorada, con la adición de que los naturales desensillaran los caballos y les dieran agua.

Además, los viejos fueron advertidos de que el diputado y sus acompañantes habían resuelto quedarse a comer. Los ancianos, a su vez, dieron órdenes a los *tequihuis* para que lo dispusieran todo: tres o cuatro de las casas principales proporcionaron las gallinas y los guajolotes para la comida; otros vecinos dieron el maíz suficiente para las tortillas; los de más allá dieron abundante frijol; no faltaba quien aportara la sal; y las mujeres se pusieron a trabajar.

Y, mientras alistaban la comida, se organizó el mitin, objeto principal del visitante. Se convino en que la reunión se efectuara en la galera donde en los días de fiesta se organizaban el baile y el *tianguis*. Los naturales, en un apretado y numeroso grupo en que predominaba el blanco de la manta y de los sombreros, rodearon a los visitantes. Un *méxcatl*, como llaman ellos a quien habla bien su lengua, después de recibir instrucciones del diputado, les expuso el motivo de la visita.

Dijo que el funcionario, a pesar de lo intransitable del camino y de sus muchas atenciones en la ciudad, había resuelto visitar el rancho porque deseaba llevarles las buenas nuevas de la situación: que una vez triunfante el movimiento libertario, trataba de ilustrarlos para que supieran ser libres; que la revolución, cuyo precio era el de muchas vidas, se había hecho por ellos, por los indios; y, además, que, sabiendo de la epidemia de viruela, había querido convencerse por sus propios ojos, aun a riesgo de contraer el contagio.

Siguió diciendo que la visita del diputado establecía un precedente en la historia del distrito, pues ¿cuándo le habían visto la cara a uno de esos señores diputados que designaba la dictadura, individuos que ni siquiera conocían el distrito y mucho menos a las clases populares que representaban?

Los indígenas oían sin contradecir ni aprobar: era la misma indiferencia racial, con cara de piedra y ojos de vidrio opaco. El traductor, después de empinarse un guaje lleno de agua, cambió otras palabras con el diputado. Inmediatamente reanudó su arenga, diciendo: que las impresiones recogidas por el diputado comenzaban a dar sus mejores frutos, pues que ya había planeado, para lograr el progreso de la ranchería, construir un camino y levantar una escuela: el primero, para lograr el desarrollo comercial de la región; y la segunda, para que en el futuro los naturales hablaran la lengua de los blancos.

Dos palabras dichas al oído motivaron al momento una salvedad: que el centro, por estar atendiendo a otros lugares más importantes, no podía encargarse de las obras; y que el distrito, por su pobreza, tampoco era el indicado para llevar a cabo tan necesarios trabájos, pues que sus ingresos apenas si alcazaban para el pago de los sueldos y servicios: presidente municipal, secretario, juez de paz, juez de primera instancia, escribientes, maestros, empleados de correo, policía, alumbrado, etcétera...

Tal vez pensaron los naturales que de esos servicios, para los que pagaban gabelas y contribuciones personales, no disfrutaban ninguno. Pero no hubo quien dijera una palabra. Por lo mismo, el vocero del diputado hizo la petición: los de la ranchería, como todos los habitantes indígenas del distrito, contribuirían con dos días de trabajo a la semana, en la apertura de la carretera; y que, en cuanto a la escuela, como era imposible levantar una en cada rancho y sostener un maestro para cada lugar, la que se iba a hacer estaría equidistante de los sitios más poblados, para que los niños, con solo la molestia de unos cuantos kilómetros diarios de camino, pudieran asistir.

Los naturales, inexpresivos o pesimistas, no contestaron nada. Hubo necesidad de que se les pidiera su opinión a los viejos. Estos se aventuraron a decir que, cuantos daban servicios gratuitos de *semaneros* en el pueblo o los que recibían por la fuerza dinero para jornalear en las haciendas, acaso no podrían atender todas las obligaciones.

El diputado, en cuanto se enteró de semejantes atropellos a las libertades, ya sin valerse del intérprete, se dirigió a los indígenas; pero, al ver que no le entendían, dio instrucciones al *méxcatl*. Dijo que, por mandato suyo, quedaba relevado de ir a trabajar en la carretera todo aquel que estuviera prestando servicios domésticos en la casa de los funcionarios del pueblo. En cuanto a recibir por la fuerza jornales para ir a trabajar a los hacendados, nada de complacencias, pues que "nadie está obligado a prestar servicios personales sin su justa retribución y su pleno consentimiento." Para reforzar su declaratoria, hizo que el intérprete mencionara el artículo constitucional correspondiente, artículo que el *méxcatl* tradujo a su manera.

La comida se sirvió en la misma galera donde fue el mitin. De todas las casas fueron recogidos bancos y tablas a guisa de mesas. El diputado hizo que tomaran asiento junto a él algunos de los viejos. Los demás naturales constituían la servidumbre. De las mujeres, sólo algunas ancianas se presentaron conduciendo los comestibles.

Lo que más elogió el diputado fueron las sabrosas tortillas de maíz negro.

LA TRADICIÓN PERDIDA

Cuando estaban preparándose los trabajos de la carretera, surgió una grave dificultad para la ranchería, al igual que para otras de la comarca. El cura recorría la sierra aconsejando que los naturales procedieran a levantar iglesias, pues que la pasada epidemia de viruelas había sido precisamente por su impiedad, como un castigo.

El cura no habló de la carretera. Era asunto que a él no le interesaba. Lo que dijo fue que los trabajos para levantar la iglesia deberían comenzar cuanto antes, porque, de aplazarse, quién sabe qué otra desgracia llovería sobre los naturales.

Los viejos se reunieron para resolver el difícil problema: de un lado, la orden para ir a trabajar en la apertura del camino; por otra parte, la amenaza divina, el peligro de que las palabras del cura se convirtieran en una realidad. Imposible servir a los dos mandatos, al mismo tiempo. Los que propusieron dividir el esfuerzo, es decir igual número de trabajadores para la carretera y para la iglesia, parecían dominar el consejo, pero el temor de incurrir en responsabilidad los hizo adoptar otra resolución: dos días para la autoridad y dos días para... la otra autoridad. Cuatro días sin descanso y sin salario, a la semana.

*

Los naturales se extrañaron de que la carretera por construirse, según los trazos ya hechos, no condujera a la ranchería, sino que cortaba el valle, quién sabe para dónde.

Los *cúes, cubes* o *tzacuales,* eran, como han sido desde hace siglos en muchos lugares, los inagotables almacenes de cantera. Ya estaba tendido más de un kilómetro y los trabajadores apenas si habían dado fin a un montículo. Son de tiempo tan remoto, que al iniciarse los trabajos, hubo necesidad de echar por tierra grandes árboles crecidos sobre aquella ruda arqueología y quitar una gruesa capa vegetal.

Los chichones, toscas pirámides, tan grandes como una casa de campo, parecen indicar un derrotero, a través del valle. La cadena se corta al llegar a la sierra, pero más allá se reanuda. Tal vez marca un camino, un remoto camino, con punto de partida al pie de hace diez siglos.

Daban ganas de preguntar a las mismas piedras cuáles fueron las manos que les dieron forma y las amontonaron como una señal puesta en una cronología. Y, al no contestar, se antojaba preguntar a los otros vestigios, a los que iban y venían con la sagrada carga en los lomos.

El más viejo dijo, contestando a la pregunta:

—Fueron los *huehues*.

Es decir, los viejos; los antecesores, más bien. Y a la pregunta del por qué de los montículos, respondió que tal vez los abuelos lo sabían...

Consejas: dicen que, cuando los sacerdotes recibieron la nueva orden de proseguir el camino, depositaron, separadamente, los dioses, los enseres y cuanto no podían llevar, construyendo encima la tosca pirámide que fuera como una protección o una señal. Otros dicen que: avisados los ancianos de que todo se acabaría por medio del diluvio, fabricaron los *cúes*, depositando en ellos sus bienes, juntos los de cada familia, seguros de que en la reencarnación los hallarían: el cazador, sus flechas; y las mujeres, sus malacates...

—Pero, ¡quién sabe! La tradición se ha perdido...

Al hallar una enorme cantera, los golpes de las barretas sonaron de manera extraña. El capataz se acercó y los trabajadores se retiraron. Cuando fue levantada la piedra, aparecieron un ídolo negro y poroso, un comal hecho pedazos, varios malacates y un metate.

Uno de los peones aconsejó no acercarse inmediatamente, pues que los espíritus de los viejos viven en los *cúes*, y aquéllos podían disgustarse: hay que esperar a que se despierten y se vayan. El capataz replicó que eso era tan solo un pretexto para no trabajar y, en apoyo de su dicho y de su incredulidad, pisoteó el hallazgo, haciendo tronar bajo sus pies los trozos de comal color de *tezontle*.

El mismo capataz, aunque con algunas dificultades, tomó el ídolo y fue a recargarlo, de pie, contra una cantera. Era un ídolo de ancha cabeza, de nariz achatada, de gruesas extremidades y con un metro de estatura. Era uno de esos ídolos que, en las regiones arqueológicamente ricas, aparecen en las cercas de piedra, como cualquier otro pedernal.

Los trabajadores reanudaron la faena. Parecían contrariados o temerosos. Y mientras iban unos y otros venían en el constante acarreo, uno de los que despedazaban las grandes lajas dijo que él sabía de muchos casos, buenos unos y funestos otros, relacionados con los *cúes:* un *cóyotl,* es decir un blanco, se quedó paralítico, inmóvil, como si hubiera sido de piedra, todo por haber despertado antes de tiempo a unos dioses de los abuelos. Pero otro, al romper un ídolo, se lo halló lleno de polvo de oro...

El capataz pareció interesarse más por el segundo caso. Observó más detenidamente al ídolo. Tomó una barreta y le dio en la cabeza. Como la piedra resistía airosamente, el golpe fue dirigido a la mitad del cuerpo. Por fin sólo alcanzó a romperle un brazo. Furioso, golpeó sin descansar, hasta que el ídolo se quebró por la cintura.

En lugar de oro apareció la piedra negra y porosa, tal vez volcánica, tan nueva como en su niñez geológica. Decepcionado, el capataz echó a rodar los pedazos del ídolo por la corta pendiente.

*

Los instrumentos de trabajo producían reflejos plateados a distancia. En el trazo de la carretera, centenares de indígenas de las rancherías circunvecinas trabajaban activamente: unos, armados de barretas, removían la tierra, dentro de una ancha faja que los ayudantes de los improvisados ingenieros dejaron marcada con estacas. Otros, esgrimiendo palas, arrojaban la tierra ya removida, hacia el campo. Los de más allá, iban apisonando, a golpes de enormes trozos. Los que apenas se veían, muy distantes, colocaban y apretaban las piedras. Y, por entre todos éstos, la cadena de pardas hormigas abrillantadas por el sudor, los que acarreaban piedras desde los *cúes.*

Ya por la tarde solían presentarse las autoridades del pueblo, a inspeccionar los trabajos. La comitiva pasaba a caballo, entre los indígenas, y el alto funcionario se dignaba dirigirles la palabra amistosamente, animándolos. Entre los suyos, enumeraba las grandes ventajas que iba a reportar al rumbo la nueva vía de comunicación. Todo, hecho con su esfuerzo muy personal, pues que el centro no ayudaba con nada. Después, como para cubrirse de un posible peligro, añadía:

—Es natural. El centro tiene otras muchas atenciones. El rumbo es de los más apartados. Es un deber de los revolucionarios de corazón hacer algo por propia iniciativa.

Alguna vez, para tranquilizar a los indígenas, les dijo a los viejos que no fueran a suponer que la terminación de la carretera sería tan sólo obra de ellos. De ninguna manera intentaba sacrificar a sus gobernados. Ya había convenido con las autoridades de los distritos limítrofes que, en llegando los trabajos a los linderos, fueran los habitantes de esos distritos los que tomaran a su cargo la continuación de la obra.

Los sábados por la tarde, para aliviar espléndidamente el cansancio de los indígenas, el presidente municipal mandaba dos barriles de aguardiente, de los que daban hasta dos vasos a cada trabajador. Mientras tanto, comentaba con satisfacción lo fácil que es hacer obra de progreso. La prueba estaba en la misma carretera, con la que iba a quedar ampliamente complacido su amigo el diputado, autor intelectual de la obra.

—Lo que antes se hacía en dos días a pezuña de caballo, dentro de poco podrá hacerse, cómodamente, en dos horas de coche. ¡Sí, señor, en dos horas!

*

Se preguntaban ¡cómo se le había ocurrido al señor cura ordenar la construcción de la iglesia cuando estaban tan atareados con la construcción de la carretera! En otra ocasión hubieran podido hacerla cómodamente, con dos días a la semana, durante meses.

La carretera, vista desde las sierras en las horas más calientes del día, ya semejaba, en el valle, una cinta de manta tendida a secar. De la iglesia, ya estaban listos los cimientos. La piedra tenía que ser acarreada desde muy lejos y sin las facilidades de los cúes. Con esas mismas dificultades tropezaron sin duda los antepasados al hacer sus montículos, porque en el valle hay poca piedra y la del cerro tiene que ser desprendida y labrada con diluvios de sudor.

Pero lo más curioso era que el señor cura, una vez que dejó tirados los hilos para la construcción, se marchó sin ocuparse más de la obra, como si tan sólo hubiera querido distraerlos de los trabajos encomendados por la autoridad. Sólo el temor los hizo terminar la carretera y proseguir la iglesia: los campos estaban llenos de hierba y entre ésta se ahogaban las matas de maíz. Algunos de los viejos ya habían hecho notar que día a día pasaban por el cielo, en busca de otras tierras, largas camándulas de gavilanes, indicio de hambre.

LOS PEREGRINOS

Pocos días después de haber terminado el tramo de carretera, los naturales de la región recibieron la orden de reconcentrar en un ranchejo equidistante los materiales necesarios para levantar la escuela.

Apenas iniciada la obra, otra disposición vino a entorpecer los trabajos y a retardar la terminación del local: el cura había recorrido todas las rancherías de su jurisdicción, diciendo que no podía seguir tolerando que el tiempo pasara sin cubrir una deuda, una deuda sagrada contraída por él a nombre de sus fieles.

Les había explicado que, cuando la pasada epidemia estaba en su apogeo, él hizo la promesa de que todos los supervivientes irían en peregrinación a dar gracias a un santo milagroso, al que los encomendara pidiendo el alivio. Los naturales —les dijo— ignoraban aquella plegaria dirigida por él, a la que sin duda alguna se debió que las viruelas no acabaran completamente con ellos. Se los hacía saber deseosos de que se pagara la deuda, porque de lo contrario nada difícil sería que al repetirse la epidemia el santo ya no le prestara oídos.

Hubo incertidumbre entre los vecinos: de un lado, el mandato de las autoridades para construir la escuela; de otro lado, la amenaza, la palabra del *totatzi,* haciendo ver los posibles resultados de la insolvencia religiosa. Hubo necesidad de que se reunieran los ancianos y después de una larga deliberación hablara la experiencia. Se convino en que los ancianos, los niños y las mujeres, con excepción de las muy necesarias para dar de comer a los trabajadores, formaran parte en la peregrinación, y que los hombres más aptos se quedaran para ayudar en la obra, primer paso en el programa educativo ·del diputado.

Como la fecha de las fiestas dedicadas año tras año a la milagrosa imagen ya estaba muy cerca, desde luego se iniciaron los preparativos de la peregrinación. Era tal el movimiento de la ranchería que, desde la primera noche, ya nadie durmió. Así fueron, tal vez, los preparativos emigrantes de las tribus, cuando, después de residir por mucho tiempo en un lugar, recibían el mandato de continuar la marcha, en seguimiento del canto alado que fue en los días del éxodo como un acicate y a la vez como una esperanza.

Las mujeres se dieron a la tarea de alistar el *itacate* indispensable para ocho días de ausencia: tres de ida, tres de regreso y dos en el pueblo. Una semana de caminar para ir a dar las gracias al santo, por la salud concedida. Entre los que partirían reinaba la alegría: caminos desconocidos, otras gentes y horizontes nuevos.

Los hombres alistaban los *huaraches* para ellos, para sus mujeres y para sus hijos: previsión casi siempre inútil porque el indígena, ya en el camino, cuelga del morral el *huarache* y se siente más ligero con el pie descalzo. Les sucede lo que con el sombrero nuevo, que, al sentir la lluvia, lo guardan bajo la tilma, para que no se moje.

Los viejos recogieron dinero entre todos los vecinos, tanto para algunos gastos del viaje como para comprar las ceras y los *milagros* con que reverenciarían a la milagrosa imagen.

Deseosos de ser gratos a la divinidad, de entre los hombres jóvenes que bien pudieron haberse quedado en los trabajos, fueron tomados los integrantes de las *danzas,* así como los músicos. Resolvieron llevarlos como un presente más que tributar al santo.

Para animar a todos, a los que partirían y a los que se iban a quedar, o bien porque era necesario el ensayo, músicos y *danzantes* procedieron desde luego a organizarse. De puerta en puerta fueron los músicos y con ellos la *danza*. La ranchería parecía estar de fiesta, y en verdad que lo estaba: aquello era una primicia al santo, un saludo a distancia, tal vez más efectivo que la rogación del cura.

Y, al amanecer, en compactos grupos, los peregrinos abandonaron la ranchería. Ya en pleno camino se ordenaron en hilera, uno tras otro, con un trote resignado que parece no saber levantar los ojos del polvoso camino. Un cordón movedizo de balanceo fatigado, bajo el sol, bajo la lluvia. Tres días por delante para poder llegar al pueblo y ofrecer a la imagen el desagravio de las ofrendas, con la súplica del deudor moroso que se excusa ante su protector.

Pies de niño, tiernos aún, sobre la tierra calcinada de las serranías pedregosas; pies de mujeres un tanto conservados en el vivir hogareño; y pies de oso, estriados por el constante trotar, de los hombres. Cabezas doblegadas por la costumbre de la carga, blan-

cas y negras, sin otro matiz, cabezas que ignoran el castaño y el
rubio, cabezas de negra crin. Toda una tribu que hubiera podido
fundar un pueblo...

Al medio día se detuvieron junto a un aguaje. Con leños recogidos a la orilla del camino, hicieron la lumbre en qué calentar los
alimentos. Comieron sentados en el suelo. Después, bebieron agua
del arroyo y siguieron la marcha.

Por la noche pidieron permiso a los dueños de un rancho para
dormir en los corredores. Tendidas las cobijas, durmieron a la
intemperie, juntos, en una misma familia. Bien temprano, con las
primeras luces del día, hablaron de lo andado y de lo que les faltaba
aún. Y, así, hablando como los loros en sus vuelos colectivos, reanudaron el camino, siempre en dirección al pueblo famoso porque
en su iglesia se venera a un santo tenido por milagroso.

Cuando llegaron a la población, que para sus ojos era como
un sitio de maravilla, las fiestas ya se habían iniciado. Los repi-
ques de las campanas los habían saludado cuando ellos apenas asomaban en las próximas vueltas de la sierra. Juntos, como las aves
que en medio de la ciudad son conducidas al mercado, fueron por
las calles, directamente al templo.

Quién sabe qué repercusiones sonaron en los espíritus de los
recién llegados, en aquel ambiente hecho de tañer de campanas, de
música de órgano y de cánticos. Tal vez hubo un deslumbramiento
en presencia de los altares convertidos en grandes luminarias. La
tribu, aglomerada a la puerta del templo, era como la selva inde-
cisa de asombro. Los naturales, sin necesidad de arrodillarse, con
su actitud tan sólo, eran la humildad esculpida en asombro.

El sacerdote que les había ordenado acudir en peregrinación en
aquellos días de las fiestas, para dar gracias a la milagrosa imagen,
se acercó a la tribu e imperativo, mediante presiones bruscas en
los hombros, los hizo arrodillarse.

Cuando terminó la misa y la nave se fue vaciando de creyentes,
el mismo sacerdote condujo a la tribu hasta el altar donde se
hallaba el santo. Todos, arrodillados, dieron gracias por la salud
concedida, pero las bocas no se movían: eran los ojos los que
imploraban. Después el sacerdote les exigió lo que poseían, destinado para limosnas y ceras.

Los *danzantes,* organizados a un costado del templo, entraron
en perfecta formación y durante algunas horas rindieron homenaje

a las divinidades con el único lenguaje que ellos conocían: la música y el baile, los que, por cierto, no eran como en la fiesta profana de la ranchería, sino llenos de una unción intuitiva.

A cambio del dinero y de los presentes entregados, los naturales recibieron reliquias que se colgaron a los cuellos quemados por un sol que apareció más allá del éxodo, culminó en los días coloniales y aún sigue quemando. Por la noche, la tribu durmió en el atrio, como un rebaño.

*

La construcción de la escuela, aunque se llevó mucho tiempo, fue relativamente fácil por la forma en que se distribuyeron los trabajos. Mientras los habitantes de las zonas selváticas llevaron horcones y bejuco, los habitantes de las lomas gramilleras llevaron zacate en grandes manojos, para el techo; y en tanto que algunos llevaron tablas para puertas y bancas, otros conducían piedra para los cimientos y para el corredor. La escuela fue como una choza grande, con paredes blancas y jaladizos de barba recortada.

Cuando el diputado supo que la escuela estaba terminada, ordenó al presidente municipal del distrito que sobre la puerta del establecimiento se escribiera el nombre de algún benefactor distinguido o el de algún héroe de la patria. El presidente municipal dispuso que la escuela llevara el nombre del mismo diputado, comentando que era de justicia, pues que el plantel fue obra suya.

EL LÍDER

El primer maestro que llegó a hacerse cargo de la escuela fue un joven originario de una población comarcana, quien, ante la imposibilidad de trasladarse a la metrópoli para continuar sus estudios y hacer una carrera, se había resignado con la modestia del magisterio rural.

En un principio, como las autoridades del pueblo ordenaron que todos los jefes de familia de la región enviaran a sus hijos aun cuando éstos tuvieran que caminar diariamente varios kilómetros, la concurrencia fue numerosa. De diversos rumbos, por distintos caminos y veredas, muy de mañana, convergían al lugar en que se hallaba la escuela todos los niños campesinos: los pobres, a pie; los hijos de los ricos, en burro.

El maestro se dio cuenta, desde luego, de que, para desarrollar un programa efectivo, era necesario hacer dos grupos: uno, formado por los niños que hablaban español, hijos de los mestizos y de los blancos; y otro, integrado por los hijos de los naturales, quienes hablaban tan sólo su propia lengua. Así lo indicó a las autoridades en cuanto fue al pueblo, no sin explicar hasta el cansancio que para los indígenas era urgente la designación de un maestro que hablara la lengua de ellos. Pero las autoridades opusieron la falta de recursos, la penuria del erario local y, luego, que los hijos de los naturales ya aprenderían el español.

Entonces el maestro reconcentró su afán en formarse un vocabulario de procedencia indígena. Para ello, preguntaba a sus mismos discípulos los nombres de las cosas, nombres que él iba escribiendo en un cuaderno. Intentaba proveerse del instrumento esencial, el idioma; pero ya a la hora de aplicarlo las palabras apuntadas le servían bien poco. Optó, entonces, por otro camino, o el mismo, pero en sentido contrario: enseñar el español a sus alumnos a fin de transmitirles después los demás conocimientos.

Cuantas veces habló con las autoridades y con los vecinos del pueblo, les hizo notar lo urgente que era dar una preparación especial a los maestros rurales, así como dotar a éstos de vocabularios completos. Entusiasmado con lo que él llamaba su plan educativo para la desanalfabetización del indio, sugería la necesidad de organizar tantos vocabularios como dialectos hay en el país: vocabularios náhoa, otomí, totonaco, tepehua, chamula, tarasco, etc. Cien vocabularios. En una palabra: hacer lo que hicieron los misioneros: aprender primero la lengua nativa, para enseñar después la lengua de la conquista.

Pero el joven maestro no pudo recoger ni siquiera un mediano vocabulario de la lengua que hablaba una parte de sus discípulos. Por eso concedió toda su atención a los hijos de los mestizos, de quienes no lo separaba ninguna barrera. Los hijos de los naturales, aislados, perdían el tiempo.

En aquel medio nada propicio, el maestro comenzó a fastidiarse. Extrañaba el ambiente del pueblo, al que iba tan solo en los días domingos. Era verdad que los naturales, por indicación de las autoridades, le cultivaban un pedazo de tierra cuyos productos eran como un sobresueldo; pero sus ojos estaban puestos en otras ambiciones. Terminadas sus labores, ambulaba como un fantasma por los campos. Hablaba solo. Dio por hacer versos a una novia irreal, lo que no fue obstáculo para que una tarde persiguiera como macho cabrío a una joven indígena, la que se le fue de las manos fácilmente.

Durante los meses transcurridos desde la fundación de la escuela, la asistencia disminuyó en un setenta por ciento: los niños más pequeños no soportaron las diarias caminatas y los más grandes eran retenidos por sus padres, en los trabajos. La asistencia se redujo a los hijos de los mestizos del campo que, por su mejor situación económica y por una mayor confianza en la escuela, siguieron concurriendo.

Por fin, quejándose del calor y de lo que él llamaba rudeza de los naturales, el maestro renunció a su cargo para ir a ocupar un puesto de escribiente en el pueblo donde, según decía, al menos iba a tratar con *gente de razón*.

Nadie mejor que un indígena a quien hacía años le llevaron de recluta a un hijo, se explicaba la fuga del maestro rural. Decía que, durante dos años, no tuvo ni una noticia del muchacho, y terminó por considerarlo perdido para siempre. Y, en verdad que lo estaba, cuando menos para él y para la ranchería.

Pero, un domingo en que fue de compras al *tianguis* del pueblo, recibió una noticia de su hijo, cuando que precisamente su intención era comprar algo que ofrendarle en los entonces próximos días de muertos, cuando los naturales adornan con *cempoalxóchitl* la casa y ponen en sus altares los comestibles que más gustaron a sus seres queridos y extintos.

Uno de los hombres prominentes del pueblo que, por sus negocios de comercio visitaba de vez en cuando la ciudad, le dijo que el muchacho vivía, como soldado, según datos que le proporcionara un oficial de la misma corporación.

Con la esperanza puesta en reunir el dinero suficiente para pagar un reemplazo, el viejo se puso a trabajar, economizando cuanto más podía y vendiendo lo poco de que era dueño. Al año regresó al pueblo para decir al comerciante que en su próxima visita a la capital, le hiciera el favor de gestionar la baja de su hijo, y le hizo entrega del dinero con qué cubrir el requisito necesario. ¡Qué gran alegría, puesta en la posibilidad de que el hijo regresara a la casa!

El comerciante cumplió fielmente el encargo. Ya en la ciudad, buscó al oficial, su amigo. Juntos fueron al cuartel y hablaron al muchacho. La plática ya no fue en la lengua nativa, sino en español. El comerciante le dio la buena noticia. Le dijo del dinero de que era portador y que iban a hacer las gestiones para lograr su baja. Pero el soldado oyó todo sin la menor manifestación de alegría. Por fin dijo:

—Diga usted a mi padre que agradezco sus trabajos y cuidados para que yo regrese. Que me doy cuenta del esfuerzo que tendría que hacer para reunir este dinero; pero que no lo utilizaré, y se lo regreso para que él lo disfrute. Dígale usted que yo estoy contento como soldado: he aprendido a leer y escribir, ya uso zapatos y otra ropa; espero que pronto me asciendan y que ya no sería feliz allá...

Y el viejo agregaba:

—Eso ha sucedido al profesor: no era feliz aquí porque extraña otras gentes y otras costumbres.

Fue por entonces cuando un inspector escolar tuvo la idea luminosa de preferir para las escuelas rurales con asistencia de indígenas, a jóvenes de la misma raza, quienes, además de una preparación adecuada, conocieran ambas lenguas.

Se pensó en un joven indígena que se hallaba como secretario en un juzgado de primera instancia. Nadie como él, se pensó, para incorporar a los de su misma raza al mundo de la civilización. El inspector, comentando el feliz hallazgo, decía de él, que iba a ser el mejor lazo de unión entre blancos y cobrizos.

Todos lo conocían perfectamente. Sus padres fueron de la servidumbre en una hacienda cercana. Habiendo quedado huérfano, el patrón lo tomó —con todo derecho— a su cuidado, mejor dicho a su servicio. Cuando el terrateniente tuvo que huir empujado por la revolución, se llevó, con otros criados, al muchacho. Ya en el pueblo, tuvo la generosidad de enviarlo a la escuela. Cuando aún la modulación no se disciplinaba a la nueva lengua, al pasar lista el maestro, el muchacho decía: *prisente,* en vez de *presente.*

El patrón, persona de arraigados principios religiosos, tenía la idea de enviar al muchacho a un seminario en cuanto estuviera en edad y condiciones de hacer carrera. El chico, en cambio, decía que él deseaba ser abogado. Pero otra avenida revolucionaria, después de haber inundado el valle, subió por la serranía hasta la población, por lo que el terrateniente emprendió una segunda huida. El hijo adoptivo se quedó con el encargo de visitar de vez en cuando la hacienda y cuidar de las propiedades urbanas.

Ese fue el maestro escogido para servir la escuela rural. Una oferta superior al sueldo del juzgado lo hizo decidirse. Llegó bajo el agrado de los de su raza, entusiasmado ante la perspectiva de lo que podía realizar en beneficio de los suyos.

Al ver que la asistencia de niños indígenas era nula, hizo una visita a las rancherías donde le dieron las más completas explicaciones de la causa: que les era más urgente el cultivo de la tierra, que el cultivo de los hijos. Los muchachos también comen —dijo un indio cargado de familia— y, por lo tanto, también tienen que trabajar. Le hicieron ver la pérdida de tiempo en los constantes viajes. Uno de los viejos llegó a la conclusión de que la escuela, cuando el hombre no tiene lo necesario para vivir, es un lujo. Pero lo que más acarreó convicciones al espíritu del nuevo maestro, fue el estado de lastimosa desigualdad social: los niños, apenas en condiciones de ejecutar los más llevaderos trabajos, eran enrolados en las listas de los contribuyentes, por los jueces de congregación encargados de recoger la contribución personal; mientras que a él le constaba la liberalidad con que en materia de contribuciones se procedía para con los del pueblo.

De regreso a la escuela, a pie por las veredas de la sierra donde el esplendor legendario sólo perdura en los árboles y en los pájaros, pensó mucho en su raza. Recargado en un enorme flanco de granito, el maestro rural se palpó las quijadas huérfanas de barba, los pómulos salientes, los lisos cabellos y se miró las manos de piel cobriza... ¡Y que antes no hubiera pensado en los suyos! Él oyó decir muchas veces, en el pueblo, que los campesinos habían recibido tierras para su mejoramiento económico, y al entrar nuevamente en contacto con los de su raza se convencía de que las tierras no lo son todo. Muchas tribus, como la suya, poseían sus tierras desde tiempos remotos y, sin embargo, continuaban en la pobreza y en la ignorancia.

Sin dar un paso, sin abandonar su actitud, recargado en la misma roca, paseó los ojos, en panorámica, por las laderas y por todo el valle. No necesitó ir a inquirir sobre la situación económica de los suyos, porque el documento estaba ante sus ojos.

En el vasto paisaje predominaba el verde, casi negro de los bosques: tierras ociosas, sin cultivo. Muy abajo, en grandes cuadriláteros, rombos y triángulos, las labores de los hacendados: potreros inmensos en que los lugares preferidos por las reses presentaban un matiz pajizo, mientras que los gramillales no frecuentados eran de un verde recatado. Grandes extensiones de un esmeralda profundo y parejo: los sembrados de caña, próximos ya al corte. Al lado, campos en gris, casi café: los maizales de los terratenientes, que por haber sido sembrados en su oportunidad, ya presentaban los síntomas de la madurez. Por otras partes, semejando lagos tranquilos, las dilatadas "tablas" de tabaco, en un verde-azul casi irreal.

Y en los cerros, como timbres de a centavo en grandes cartas de color, las labores de los indígenas. Con su pequeñez denunciaban el poco tiempo que pudo dedicarles el dueño durante la época más oportuna para la limpia y para la siembra: esfuerzo personal, el esfuerzo de un hombre. Con su matiz de paja nueva, estaban diciendo que el agua no les llegó en su oportunidad y que la sequía hizo prematura la madurez.

Calculó el número de los habitantes de la ranchería y luego hizo el recuento de las pequeñas labores: por cada cinco habitantes, un sembrado.

Y en el mismo sitio, recargado contra un flanco de la roca, pensó mucho más: si eran las exigencias de los blancos las que no permitían mejorar a los suyos o si, en verdad, como había oído tantas veces, la miseria se debía a la incuria de la raza.

*

Frente a sus alumnos, el maestro comprendió que no iba a desanalfabetizar a los naturales como él, sino a los hijos de los criollos, trabajadores del campo, quienes, en relación a los indios, se hallaban en un peldaño superior, aunque habitan las tierras bajas. La diferencia está en los niveles de las rancherías: entre los criollos y los indios media el pánico tradicional sembrado por las persecuciones y la explotación, algo así como el termómetro de la desconfianza. Los naturales, quienes en sus andanzas inciertas recorrieron las márgenes de los ríos y fundaron ciudades en los valles, cuando vino la dominación treparon por las sierras de donde sólo pueden bajar si los guía la confianza.

El maestro, al ordenar sus programas de enseñanza, pensaba, más bien, en ordenar sus programas sociales. Sus hermanos le confesaron que subsistía para ellos la contribución personal, abolida legalmente: luego era necesario denunciar el hecho, aun a costa de echarse la enemistad de las autoridades del pueblo. Le dijeron que las tierras recibidas no habían mejorado para nada su situación económica, tanto por la falta de recursos para cultivarlas debidamente, como por la falta de tiempo en vista de las exigencias de las autoridades: luego había que gestionar subsidios para hacer frente a los trabajos, refacciones para que el agricultor indígena no cayera en manos de quienes compran los productos en la mata, herramientas e instructores para abandonar los viejos procedimientos agrícolas. Le habían dicho que muchas veces tenían que regalar sus productos porque, debido a la falta de medios de transporte, no podían venderlos: luego, era necesaria una vía de comunicación, pero no como la que tendieron en el valle para unir quién sabe qué lejanos lugares, por donde va el indígena a pie, envuelto en el polvo que levantan los carruajes, sino un camino que fuera la salida de las tribus, aisladas por el viejo temor racial...

Cuando expuso sus ideas y sus planes ante una junta de ancianos, éstos se alarmaron notablemente, opinando que las pretensiones traerían nuevos conflictos para ellos, ya cansados de persecuciones fatalistas ante toda promesa de mejora.

El maestro explicó a su manera el espíritu de las nuevas leyes. Y, para infundir confianza a los suyos, les dijo que los más altos funcionarios del gobierno estaban por salvar a los campesinos todos, especialmente a los indígenas, mediante la escuela y disposiciones de orden económico, tales como el reparto de las tierras. Para esa labor de convencimiento le ayudaron mucho las nociones legalistas adquiridas en su empleo de escribiente en el juzgado.

Las cabezas blancas de los *huehues* permanecieron caídas largo rato sobre los desnudos y huesosos pechos, pensando en lo que deberían resolver. Las arrugadas facciones, a las que la ausencia de las barbas daba un aspecto de madera tallada, permanecieron inalterables a fuerza de incertidumbre. Pero el maestro los sacudió con la menos importante de las promesas, aunque sí con la más inmediata y efectiva: ¡lograr la supresión de la contribución personal!

El más anciano expuso, por fin, su manera de pensar. Dijo que los pocos años del maestro no eran para poder dar consejo, pero que, como había vivido entre los blancos, usaba zapatos y pantalón y, además, sabía leer y escribir, a lo mejor aconsejaba lo más conveniente. Y todos se pusieron en sus manos, lo que acabó con una antiquísima tradición.

Escribió un largo memorial dirigido al gobernador del Estado en que, de manera valiente, denunciaba que las autoridades lugareñas seguían cobrando la contribución personal a los indios. Aprovechó la oportunidad para denunciar, también, que a los de su raza aún se les obligaba a la prestación de servicios personales sin pago alguno, como domésticos en las casas de los influyentes, pero sobre todo en *faenas* para la compostura de caminos, para las obras materiales en el pueblo, y en las haciendas de caña.

La respuesta no se hizo esperar mucho. Fue en forma de copia de la comunicación dirigida por el gobernador al presidente municipal del distrito, en que se le daba cuenta de la denuncia y en que se le ordenaba, en nombre de los ideales revolucionarios, que ya no se cobrara la contribución personal.

Cuando el maestro tradujo a los suyos el contenido del documento, hasta los más viejos dieron señales de respeto para aquél que, con sólo escribir un ocurso, había logrado quitar de las espaldas de todos ellos una carga tradicional. Entusiasmado con su éxito, el maestro reveló sus intenciones: ir con un crecido grupo a la ciudad, para pedir, por conducto del diputado, el reparto de algunas tierras mejores que las de la ranchería, implementos de labranza; pero, más que esto, armas con qué defenderse de los enemigos, pues que estaba seguro de que los del pueblo iban a constituirse en sus enemigos.

En aquellos momentos, en medio de los indígenas agrupados por un éxito defintivo, surgió el líder.

POLÍTICA

Cuanto prometió a sus hermanos lo obtuvo el líder, a fuerza de tenacidad y audacia. Su mejor apoyo lo fue el diputado local quien, apenas se percató de que aquel joven indígena tenía madera de agitador, lo hizo su amigo. Con él y los comisionados, fue el diputado al palacio de gobierno, al comité agrario y ante todo hombre público cuyas influencias podían aprovecharse.

Apenas había regresado de su último viaje a la ciudad, recibió instrucciones de ir con los suyos a dos rancherías comarcanas para organizar a los habitantes en forma tal que pudieran defenderse, porque una guardia blanca, de reciente formación, estaba a punto de echarse sobre las tierras que fueron del hacendado.

El líder y sus hombres salieron fogosamente con la esperanza de estrenar las armas recientemente recibidas. ¡Si hubieran contado con ellas cuando los forasteros ultrajaron a la muchacha y dieron tormento al guía que los llevó al cerro en busca de la mina y de las plantas medicinales! ¡No tan sólo se hubiera quedado en la barranca uno de ellos, sino los tres!

Parecían otros hombres: ¡tal ánimo presta una arma entre las manos y una orden superior! Caminaban airosamente. En la carretera miraron cara a cara a los blancos que encontraban. Los mismos carruajes, que antes amenazaban con arrollarlos y que por lo menos los envolvían en una nube de polvo, entonces tenían la precaución de disminuir la velocidad, todo porque las armas constituían una advertencia. La expedición, compuesta por casi todos los hombres aptos de la ranchería, resultaba imponente. ¡Qué gritos salvajes, de pura alegría! La marcha se hizo más impetuosa después de unas copas tomadas en una venta.

Fueron recibidos de manera entusiasta. La misma tarde que llegaron hubo una junta. El líder, después de exponer que era portador de órdenes escritas por la superioridad y de hacer un voto franco de adhesión y de amistad al diputado, pidió una explicación detallada del conflicto.

Dijeron que, una vez tomadas las tierras, acatando las disposiciones de él mismo, es decir del líder, intentaron posesionarse de otras que eran tenidas como mejores, causa por la cual el terrateniente los había amenazado con las guardias blancas. Ellos —agregaron— estaban dispuestos a defenderse; pero carecían de las armas necesarias...

Después de un cambio de pareceres entre los viejos y el líder, éste resolvió que al amanecer les daría posesión. Durante la noche hubo comilona y baile, en su honor. Lo agasajaron como al diputado cuando visitó su ranchería.

Al amanecer comenzaron a bajar de las sierras rumbo al valle. Bajaban como en otros tiempos cuando iban a excursionar por el río, a la pesca o a la busca de las frutas silvestres. Pero entonces llevaban red y chuzo, en lugar de carabina y machete. Al llegar a los terrenos del hacendado, cortaron los alambres y, abriendo brechas a manera de linderos, tomaron posesión. En eso se hallaban cuando apareció un grupo de armados. Era la guardia blanca.

Protegidos tras los troncos, en los veinte minutos que duró el tiroteo, naturales y atacantes tuvieron apenas dos bajas. Los dos bandos se fueron retirando con grandes precauciones, para llevarse a sus muertos en camillas improvisadas. De hecho, la lucha estaba entablada. Esa noche, reunidos en gran mitin los indígenas, acordaron solicitar más armas y más terminantes instrucciones a la superioridad, cuando menos al diputado.

Se presentó entonces el problema económico, porque las vueltas a la ciudad significaban dinero. El líder impuso una cuota a cada jefe de familia. Hubo algunos que objetaron lo innecesario de la lucha, pues que les bastaba con las tierras que ya habían obtenido, pero se impuso el dicho del líder, diciendo que ya no se trataba de las tierras, ¡sino de sostener un principio! Y partió con una numerosa comitiva.

Y, con la comitiva, los portadores de presentes destinados a los poderosos sostenes políticos del líder: un indígena, cargando durante tres días, el guajolote de grandes "corales", para el señor diputado. Otro, con tres gallinas gordas, para el señor gobernador. Los otros, con bultos de maíz escogido y frijol nuevo, para los demás influyentes.

Antes, esos mismos regalos, fueron para el jefe político y para el abogado.

También el hacendado, según se supo después, se trasladó a la ciudad para defender sus derechos. Las autoridades dijeron, ante las dos exposiciones de hechos, que el caso sería estudiado detenidamente. La impresión fue la de que los funcionarios ya estaban hartos de contiendas como aquella. El diputado prometió a la comisión seguir trabajando el asunto, a cambio de que el líder siguiera controlando rancherías: era que se avecinaba la lucha política y el diputado local aspiraba a la curul en el congreso general.

A las dos semanas, el líder recibió órdenes de organizar toda la gente, porque el diputado había resuelto celebrar una gran manifestación en la cabecera del distrito, como prueba de su vasta popularidad, de su identificación con los humildes y para iniciar con ella la campaña electoral. En la misma carta le dijo que, en vista de sus grandes cualidades, se había permitido incluirlo en la planilla, como su suplente.

Con tal perspectiva política, el líder redobló sus actividades. Dijo a los suyos que, tan sólo esa posibilidad, ya era una promesa de mejoramiento para todos: ¡tener un representante de su propia raza! No hubo quien se resistiera al desempeño de cualquiera comisión por muy peligrosa que fuera.

El día de la manifestación, de todas las sierras bajaban indígenas con rumbo al pueblo. Se blanquearon los caminos con los sombreros de palma. Cruzaron el valle. Las calles comenzaron a llenarse. La multitud pasó por la mitad de la población para ir a la otra garita donde fue dada la bienvenida al diputado local y candidato a diputado federal, entre estallidos de cohetes y estruendo de la música.

El contrincante político, que también había organizado su manifestación sin contar con más gente que la del pueblo y algunos elementos de las haciendas, tuvo que refugiarse en el edificio de la presidencia municipal. El líder de los indígenas, el primero de los oradores que se dirigieron a la muchedumbre, teniendo a la derecha al diputado, pronunció un largo discurso en la lengua de los suyos: tierras, escuelas, armas, implementos de labranza, refacciones, etcétera.

Por la tarde, como no eran pocos los manifestantes que se habían emborrachado, el pueblo presentaba el aspecto de una plaza tomada por la fuerza. Las casas de los tenidos como principales, permanecían cerradas. La evacuación fue tumultuosa, después de que la multitud hubo despedido al candidato.

En los lugares donde se bifurcan las veredas, se fueron desprendiendo los distintos grupos hacia sus respectivas congregaciones. El líder, ya de regreso en su ranchería, antes de que se dispersaran sus hombres, expuso con toda franqueza que el diputado su amigo necesitaba dinero para proseguir la campaña y que, cada jefe de familia, tendría que dar una cuota.

*

Una noticia vino a sembrar la alarma: el líder fue notificado de que las guardias blancas de los terratenientes, en complicidad con las autoridades del pueblo, intentaban sorprender la ranchería para quemar las casas y procurar la muerte del nuevo político, a quien consideraban como una verdadera amenaza, dada la manifestación de fuerza hecha el día del desfile por las calles.

La primera providencia fue la de convocar a todos a una junta. El líder dijo que las mejoras obtenidas habían sembrado el disgusto de los antiguos amos, que el peligro más grave era para él, pues que intentaban matarlo, pero que él estaba, como siempre, dispuesto a sacrificarse por su pueblo —frase que había recogido fielmente de los labios del diputado local—, y que era la ocasión de que todos, sin exceptuar a uno solo, ayudaran en la medida de sus fuerzas. Acabó por lamentar tener que pedir más dinero, con qué comprar parque suficiente para el caso de un encuentro formal.

La ranchería se transformó en un campamento. En las entradas se levantaron cercas de piedra a manera de trincheras. En los sitios más propicios de los caminos se instalaron puestos avanzados protegidos también por *tecorrales,* sitios a los que fueron enviados los poseedores de armas de fuego. El joven lisiado, precisamente por insignificante, recibió instrucciones de ir a colocarse a la orilla de la carretera, allá abajo, medio oculto en la maleza, para dar la señal en el caso de que se aproximara el enemigo, aviso que recibiría el guardían colocado en una saliente a manera de mirador, en lo más alto de la sierra.

A diario partían correos con diversos destinos: avisos de reconcentración, órdenes, contraórdenes, cartas al diputado, protestas a la autoridad... De hecho eran dos los puntos de vigilancia: el de la guerra con las guardias blancas y el de la política electoral.

Los viejos, representantes de la prudencia, pero también de la flaqueza, aconsejaban la huida tradicional: tomar, como en otras ocasiones de pánico, las veredas más intrincadas, e ir en busca del refugio siempre cobijador de la cueva o de la choza, en plena espesura. Pero se impuso el líder.

Por fin se recibió una comunicación diciendo que las guardias blancas estaban prevenidas por orden muy superior de que, en caso de registrase otro hecho de sangre, ellas serían las culpables, porque su actitud sólo tenía por objeto restar elementos a uno de los candidatos en pugna, en los comicios, además de que ya existía el precedente de que los naturales habían sido los agredidos en la pasada acción de armas.

La política, relegando a un segundo término la idea esencial de dotar de tierras a las mayorías como medio de lograr su mejoramiento económico. Largos cordones de trabajadores, indígenas y mestizos, recorriendo los caminos, llevados y traídos por los líderes, para hacer presentes sus fuerzas ante los políticos superiores.

Todo un escalonamiento de intereses: ir y venir de los campesinos para celebrar las juntas precursoras de las elecciones generales; peregrinaciones de campesinos en apoyo del candidato a gobernador; abandono de los campos, sólo para ir a la cabecera del distrito donde es necesario hacerle un gran recibimiento al candidato a diputado; concentraciones para defender la causa del presidente municipal; grupos simpatizadores de un regidor; comisiones para pedir otro delegado ejidal; viaje para que no sea quitado el juez de la congregación... Y, tras los campesinos, los líderes arreando el rebaño.

Y de la pugna de tantos intereses surgió una nueva modalidad en el ataque: la emboscada. A la ranchería llegaban diariamente las noticias de sangrientos e inmunes atentados: la descarga desde el monte, para suprimir lo mismo al funcionario, que al terrateniente y que al indígena.

Cuando los naturales, en largas hileras, se dirigieron al pueblo en el día preciso de las elecciones, de paso por las mejores tierras, los viejos lamentaron el no haber tenido tiempo para limpiar los campos y mucho menos para sembrarlos. Las palabras *cintli* y *etl,* refiriéndose al maíz y al frijol, eran pronunciadas con cierto temor: el temor tradicional de una raza que ha sufrido hambre.

DESCONFIANZA

El lisiado sigue en su escondite de vigía, desconfianza asomada a la carretera —que es la civilización— desde la breña. En lo alto de la serranía, otro aguarda la señal. Como todos los suyos, sólo saben que la *gente de razón* quiere atacarlos; que en la sierra y en el valle, los odios, en jaurías, se enseñan los dientes; y que el líder goza de buena situación en la ciudad.

ÍNDICE

Esta obra se acabó de imprimir
el día 13 de mayo de 1991, en los talleres de

OFFSET UNIVERSAL, S. A.
Av. Año de Juárez Nº 177, Granjas San Antonio
09070, México, D. F.

La edición consta de 10,000 ejemplares
más sobrantes para reposición.

COLECCIÓN "SEPAN CUANTOS..." *

---

* Los números que aparecen a la izquierda corresponden a la numeración de la Colección.

ANACREONTE. (Véase PINDARO.)

341. **CONAN DOYLE, Arthur:** *Aventuras de Sherlock Holmes: Un crimen extraño.* El intérprete griego. Triunfos de Sherlock Holmes. Los tres estudiantes. El mendigo de la cicatriz. K.K.K. La muerte del coronel. Un protector original. El novio de Miss Sutherland. Las aventuras de una ciclista. El misterio de Boscombe. Policía fina. El casado sin mujer. La diadema de Berilos. El carbunclo azul. "Silver Blaze". Un empleo extraño. El ritual de los Musgrave. El Gloria Scott. El documento robado. Prólogo de María Elvira Bermúdez. *Rústica* 6,000.00

343. **CONAN DOYLE, Arthur:** *Aventuras de Sherlock Holmes: El perro de Baskerville.* La marca de los cuatro. El pulgar del ingeniero. La banda moteada. *Nuevos triunfos de Sherlock Holmes.* El enemigo de Napoleón. El campeón de Foot-Ball. El cordón de la campanilla. Los Cunningham's. Las dos manchas de sangre. *Rústica* 6,000.00

345. **CONAN DOYLE, Arthur:** *Aventuras de Sherlock Holmes: La resurrección de Sherlock Holmes.* Nuevas y últimas aventuras de Sherlock Holmes. La caja de laca. El embudo de cuero, etc. *Rústica* 8,000.00

7. **CORTÉS, Hernán:** *Cartas de relación.* Nota preliminar de Manuel Alcalá. Ilustraciones. Un mapa plegado. *Rústica* 6,000.00

513. **CORTINA, Martín:** *Un Rosillo Inmortal* (leyenda de los llanos). *Un Tlacuache Vagabundo. Maravillas de Altepepan* (leyendas mexicanas). Introducción de Andrés Henestrosa. *Rústica* 6,000.00

181. **COULANGES, Fustel de:** *La ciudad antigua* (estudio sobre el culto, el derecho y las instituciones de Grecia y Roma). Estudio preliminar de Daniel Moreno. *Rústica* 8,000.00

100. **CRUZ, Sor Juana Inés de la:** *Obras completas.* Prólogo de Francisco Monterde. *Rústica* 18,000.00

342. **CUENTOS RUSOS:** *Gógol - Turguéñev - Dostoievsky - Tolstoi - Garín - Chéjov - Gorki - Andréiev - Kuprin - Artsibachev - Dimov - Tasin - Surguchov - Korolenko - Goncharov - Sholojov.* Introducción de Rosa Ma. Phillips. *Rústica* 6,000.00

256. **CUYÁS ARMENGOL, Arturo:** *Hace falta un muchacho.* Libro de orientación en la vida para los adolescentes. Ilustrada por Juez. *Rústica* 5,000.00

382. **CHATEAUBRIAND:** *El genio del cristianismo.* Introducción de Arturo Souto. *Rústica* 12,000.00

524. **CHATEAUBRIAND, René:** *Atala - René - El último abencerraje.* Páginas autobiográficas. Prólogo de Armando Rangel. *Rústica* 6,000.00

148. **CHAVEZ, Ezequiel A.:** *Sor Juana Inés de la Cruz.* Ensayo de psicología y de estimación del sentido de su vida para la historia de la cultura y de la formación de México. *Rústica* 12,000.00

411. **CHÉJOV, Antón:** *Cuentos escogidos.* Prólogo de Sommerset Maugham. *Rústica* 9,000.00

454. **CHÉJOV, Antón:** *Teatro: La gaviota. Tío Vania. Las Tres Hermanas. El Jardín de los cerezos.* Prólogo de Máximo Gorki. *Rústica* 6,000.00

CHÉJOV, Antón. (Véase *Cuentos Rusos.*)

478. **CHESTERTON, Gilbert K.:** *Ensayos.* Prólogo de Hilaire Belloc. *Rústica* 6,000.00

490. **CHESTERTON, Gilbert K.:** *Ortodoxia. El hombre Eterno.* Prólogo de Augusto Assia. *Rústica* 6,000.00

42. **DARIO, Rubén:** *Azul... El Salmo de la pluma. Cantos de vida y esperanza. Otros poemas.* Edición de Antonio Oliver. *Rústica* 6,000.00

385. **DARWIN, Carlos:** *El origen de las especies.* Introducción de Richard E. Leakey 10,000.00

377. **DAUDET, Alfonso:** *Tartarín de Tarascón. Tartarín en los Alpes. Port-Tarascón.* Prólogo de Juan Antonio Guerrero. *Rústica* 6,000.00

140. **DEFOE, Daniel:** *Aventuras de Robinson Crusoe.* Prólogo de Salvador Reyes Nevares. *Rústica* 4,500.00

154. **DELGADO, Rafael:** *La Calandria.* Prólogo de Salvador Cruz. *Rústica* 5,000.00

280. **DEMOSTENES:** *Discursos.* Estudio preliminar de Francisco Montes de Oca. *Rústica* 6,000.00

177. **DESCARTES:** *Discurso del método. Meditaciones metafísicas. Reglas para la dirección del espíritu. Principios de la filosofía.* Estudio introductivo, análisis de las obras y notas al texto por Francisco Larroyo. *Rústica* 6,000.00

5. **DIAZ DEL CASTILLO, Bernal:** *Historia verdadera de la conquista de la Nueva España.* Introducción y notas de Joaquín Ramírez Cabañas. Con un mapa. *Rústica* 12,000.00

127. **DICKENS, Carlos:** *David Copperfield.* Introducción de Sergio Pitol. *Rústica.* 10,000.00

173. **FERNANDEZ DE MORATÍN, Leandro:** *El sí de las niñas. La comedia nueva o el café. La derrota de los pedantes. Lección poética.* Prólogo de Manuel de Ezcurdia. *Rústica* 5,000.00

521. **FERNANDEZ DE NAVARRETE, Martín:** *Viajes de Colón. Rústica* 15,000.00

211. **FERRO GAY, Federico:** *Breve historia de la literatura italiana. Rústica* 20,000.00

512. **FEVAL, Paul:** *El Jorobado o Enrique de Lagardère. Rústica* 8,000.00

FILOSTRATO. (Véase LAERCIO. Diógenes.)

552. **FLAUBERT, Gustavo:** *Madame Bovary. Costumbres de provincia.* Prólogo de José Arenas. *Rústica* 6,000.00

575. **FRANCE, Anatole:** *El crimen de un académico. La azucena roja. Tais.* Prólogo de Rafael Solana. *Rústica* 6,000.00

599. **FRANCE, Anatole:** *Los dioses tienen sed. La rebelión de los ángeles.* Prólogo de Pierre Joserrand. *Rústica* 8,000.00
FRANCE, Anatole. (Véase RABELAIS.)

591. **FRANKLIN, Benjamin:** *Autobiografía y Otros escritos.* Prólogo de Arturo Uslar Pietri. *Rústica* 8,000.00

92. **FRIAS, Heriberto:** *Tomóchic.* Prólogo y notas de James W. Brown. *Rústica.* 6,000.00

494. **FRIAS, Heriberto:** *Leyendas históricas mexicanas y otros relatos.* Prólogo de Antonio Saborit. *Rústica* 6,000.00

534. **FRIAS, Heriberto:** *Episodios militares mexicanos. Principales campañas, jornadas, batallas, combates y actos heroicos, que ilustran la historia del Ejército Nacional desde la Independencia hasta el triunfo definitivo de la República. Rústica* 8,000.00

554. **GABRIEL Y GALÁN, José María:** *Obras completas.* Introducción de Arturo Souto Alabarce 10,000.00

311. **GALVÁN, Manuel de J.:** *Enriquillo.* Leyenda histórica dominicana (1503-1533). Con un estudio de Concha Meléndez. *Rústica* 6,500.00

305. **GALLEGOS, Rómulo:** *Doña Bárbara.* Prólogo de Ignacio Díaz Ruiz. *Rústica.* 5,000.00

368. **GAMIO, Manuel:** *Forjando patria.* Prólogo de Justino Fernández. *Rústica* 8,000.00

251. **GARCÍA LORCA, Federico:** *Libro de Poemas. Poema del Cante Jondo. Romancero Gitano. Poeta en Nueva York. Odas. Llanto por Sánchez Mejía. Bodas de Sangre. Yerma.* Prólogo de Salvador Novo. *Rústica* 6,000.00

255. **GARCÍA LORCA, Federico:** *Mariana Pineda. La zapatera prodigiosa. Así que pasen cinco años. Doña Rosita la soltera. La casa de Bernarda Alba. Primeras canciones. Canciones.* Prólogo de Salvador Novo. *Rústica* 5,000.00

164. **GARCÍA MORENTE, Manuel:** *Lecciones preliminares de filosofía. Rústica.* 5,000.00

GARCILASO DE LA VEGA. (Véase VEGA, Garcilaso de la.)

22. **GARIBAY K., Ángel María:** *Panorama literario de los pueblos nahuas. Rústica.* 6,000.00

31. **GARIBAY K., Ángel María:** *Mitología griega. Dioses y héroes. Rústica* 7,000.00

GARÍN. (Véase *Cuentos Rusos.*)

373. **GAY, José Antonio:** *Historia de Oaxaca.* Prólogo de Pedro Vázquez Colmenares. *Rústica* 15,000.00

433. **GIL Y CARRASCO, Enrique:** *El Señor de Bembibre. El Lago de Carucedo. Artículos de Costumbres.* Prólogo de Arturo Souto A. *Rústica* 6,000.00

21. **GOETHE, J. W.:** *Fausto. Werther.* Introducción de Francisco Montes de Oca. *Rústica* 6,000.00

400. **GOETHE, J. W.:** *De mi vida poesía y verdad.* Prólogo de Ernst Robert Curtius. *Rústica* 12,000.00

132. **GOGOL, Nikolai V.:** *Las almas muertas. La tercera orden de San Vladimiro. (Fragmentos de comedia inconclusa.)* Prólogo de Rosa María Phillips. *Rústica.* 6,000.00

457. **GOGOL, Nikolai V.:** *Tarás Bulba. Relatos de Mirgorod.* Prólogo de Emilia Pardo Bazán. Traducción de Irene Tchernowa. *Rústica* 6,000.00

GOGOL, Nikolai V. (Véase *Cuentos Rusos.*)

461. **GÓMEZ ROBLEDO, Antonio:** *El Magisterio Filosófico y Jurídico de Alonso de la Veracruz.* Con una antología de textos. *Rústica* 6,000.00

GONCHAROV. (Véase *Cuentos Rusos.*)

262. **GÓNGORA:** *Poesías. Romances. Letrillas. Redondillas. Décimas. Sonetos atribuidos. Soledades. Polifemo y Galatea. Panegírico. Poesías sueltas.* Prólogo de Anita Arroyo. *Rústica* 5,000.00

568. **GONZÁLEZ OBREGÓN**, Luis: *Las calles de México.* Leyendas y sucedidos. Vida y costumbres de otros tiempos. Prólogos de Carlos G. Peña y Luis G. Urbina ...   6,000.00

44. **GONZÁLEZ PEÑA**, Carlos: *Historia de la literatura mexicana. (Desde los orígenes hasta nuestros días.) Rústica* 8,000.00

254. **GORKI**, Máximo: *La madre. Mis confesiones.* Prólogo de Rosa María Phillips. *Rústica* 8,000.00

397. **GORKI**, Máximo: *Mi infancia. Por el mundo. Mis universidades.* Prólogo de Marc Slonim. *Rústica* 8,000.00

118. **GOYTORTÚA SANTOS**, Jesús: *Pensativa.* Premio "Lanz Duret" 1944. *Rústica* 6,000.00

315. **GRACIÁN**, Baltazar: *El Discreto - El Criticón - El Héroe.* Introducción de Isabel C. Tarán. *Rústica* 6,500.00

121. **GRIMM, CUENTOS DE:** Prólogo y selección de María Edmée Alvarez. *Rústica* 5,000.00

GUILLÉN DE NICOLAU, Palma. (Véase MISTRAL, Gabriela.)

169. **GÜIRALDES**, Ricardo: *Don Segundo Sombra.* Prólogo de María Edmée Alvarez. *Rústica* 4,000.00

GÜITTON, Jean: *El Trabajo Intelectual.* (Véase SERTILANGES, A. D.).

19. **GUTIÉRREZ NAJERA**, Manuel: *Cuentos y Cuaresmas del Duque Job. Cuentos frágiles. Cuentos de color de humo. Primeros cuentos. Últimos cuentos. Prólogo y Capítulos de novelas.* Edición e introducción de Francisco Monterde. *Rústica* 6,000.00

438. **GUZMAN**, Martín Luis: *Memorias de Pancho Villa. Rústica* 12,000.00

508. **HAGGARD**, Henry Rider: *Las Minas del Rey Salomón.* Introducción de Allan Quatermain. *Rústica* 6,000.00

396. **HAMSUN**, Knut: *Hambre-Pan.* Prólogo de Antonio Espina. *Rústica* 6,000.00

484. **HEBREO**, León: *Diálogos de Amor.* Traducción de Garcilaso de la Vega. El Inca. *Rústica* 6,000.00

187. **HEGEL**: *Enciclopedia de las ciencias filosóficas.* Estudio introductivo y análisis de la obra por Francisco Larroyo. *Rústica* 6,000.00

429. **HEINE**, Enrique: *Libro de los Cantares.* Prosa escogida. Prólogo de Marcelino Menéndez Pelayo. *Rústica* 6,000.00

HENRIQUEZ UREÑA, Pedro. (Véase URBINA, Luis G.)

271. **HEREDIA**, José María: *Poesías completas.* Estudio preliminar de Raimundo Lazo. *Rústica* 6,000.00

216. **HERNANDEZ**, José: *Martín Fierro.* Ensayo preliminar por Raimundo Lazo. *Rústica* 4,500.00

176. **HERODOTO**: *Los nueve libros de la historia.* Introducción de Edmundo O'Gorman. *Rústica* 10,000.00

323. **HERRERA Y REISSIG**, Julio: *Poesías.* Introducción de Ana Victoria Mondada. *Rústica* 8,000.00

206. **HESIODO**: *Teogonía. Los trabajos y los días. El escudo de Heracles. Idilios de Bión. Idilios de Mosco. Himnos órficos.* Prólogo de Manuel Villalaz. *Rústica* 6,000.00

351. **HESSEN**, Juan: *Teoría del conocimiento.* MESSER, Augusto: *Realismo crítico.* **BESTEIRO**, Julián: *Los juicios sintéticos "a priori".* Preliminar y estudio introductivo por Francisco Larroyo. *Rústica* 5,000.00

156. **HOFFMAN**, E. T. G.: *Cuentos.* Prólogo de Rosa María Phillips. *Rústica* 7,000.00

2. **HOMERO**: *La Ilíada.* Traducción de Luis Segalá y Estalella. Prólogo de Alfonso Reyes. *Rústica* 3,500.00

4. **HOMERO**: *La Odisea.* Traducción de Luis Segalá y Estalella. Prólogo de Manuel Alcalá. *Rústica* 3,500.00

240. **HORACIO**: *Odas y Épodos. Sátiras. Epístolas. Arte Poética.* Estudio preliminar de Francisco Montes de Oca. *Rústica* 5,000.00

77. **HUGO**, Víctor: *Los miserables.* Nota preliminar de Javier Peñalosa. *Rústica.*   15,000.00

294. **HUGO**, Víctor: *Nuestra Señora de París.* Introducción de Arturo Souto Alabarce. *Rústica* 6,500.00

586. **HUGO**, Víctor: *Noventa y tres.* Prólogo de Marcel Aymé. *Rústica* 15,000.00

274. **HUGÓN**, Eduardo: *Las veinticuatro tesis tomistas.* Incluye, además: *Encíclica Aeterni Patris,* de León XIII. *Motu Proprio Doctoris Angelici,* de Pío X.

Motu Proprio non multo post, de Benedicto XV. *Encíclica Studiorum Ducem*, de Pío XI. Análisis de la obra precedida de un estudio sobre los orígenes y desenvolvimiento de la Neoescolástica, por Francisco Larroyo. *Rústica* 6,000.00

HUIZINGA, Johan. (Véase: ROTTERDAM, Erasmo de.)

59. HUMBOLDT, Alejandro de: *Ensayo político sobre el reino de la Nueva España*. Estudio preliminar, cotejos, notas y anexos de Juan A. Ortega y Medina. *Rústica* 16,000.00

526. HUME, David: *Tratado de la Naturaleza Humana*. Ensayo para introducir el método del razonamiento humano en los asuntos morales. Estudio introductivo y análisis de la obra por Francisco Larroyo. *Rústica* 8,000.00

587. HUXLEY, Aldous: *Un mundo feliz. Retorno a un mundo feliz*. Prólogo de Theodor W. Adorno. *Rústica* 5,000.00

78. IBARGUENGOITIA, Antonio: *Filosofía Mexicana. En sus hombres y en sus textos*. *Rústica* 6,000.00

348. IBARGUENGOITIA CHICO, Antonio: *Suma Filosófica Mexicana*. (Resumen de historia de la filosofía en México.) *Rústica* 8,000.00

503. IBSEN, Enrique: *Peer Gynt. Casa de Muñecas. Espectros. Un enemigo del pueblo. El pato silvestre. Juan Gabriel Borkman*. Versión y prólogo de Ana Victoria Mondada. *Rústica* 6,000.00

47. IGLESIAS, José María: *Revistas Históricas sobre la Intervención Francesa en México*. Introducción e índice de materias de Martín Quirarte. *Rústica* 20,000.00

63. INCLAN, Luis G.: *Astucia. El jefe de los Hermanos de la Hoja o Los Charros Contrabandistas de la rama*. Prólogo de Salvador Novo. *Rústica* 12,000.00

207. INDIA LITERARIA (LA): *Mahabarata - Bagavad Gita - Los Vedas - Leyes de Manú - Poesía - Teatro - Cuentos - Apólogos y leyendas*. Antología-prólogo, introducciones históricas, notas y un vocabulario de hinduísmo por Teresa E. Rohde. *Rústica* 6,000.00

270. INGENIEROS, José: *El hombre mediocre*. Introducción de Raúl Carrancá y Rivas. *Rústica* 6,000.00

IRIARTE. (Véase FABULAS.)

79. IRVING, Washington: *Cuentos de la Alhambra*. Introducción de Ofelia Garza de Del Castillo. *Rústica* 6,000.00

46. ISAACS, Jorge: *María*. Introducción de Daniel Moreno. *Rústica* 4,000.00

245. JENOFONTE: *La expedición de los diez mil. Recuerdos de Sócrates. El Banquete. Apología de Sócrates*. Estudio preliminar de Francisco Montes de Oca. *Rústica* 6,000.00

66. JIMENEZ, Juan Ramón: *Platero y Yo. Trescientos Poemas (1903-1953)*. *Rústica* 5,000.00

374. JOSEFO, Flavio: *La guerra de los judíos*. Prólogo de Salvador Marichalar. *Rústica* 10,000.00

448. JOVELLANOS, Gaspar Melchor de: *Obras Históricas. Sobre la legislación y la historia. Discurso sobre la geografía y la historia. Sobre los espectáculos y diversiones públicas. Descripción del Castillo de Bellver. Disciplina eclesiástica sobre sepulturas*. Edición y notas de Elviro Martínez. *Rústica* 6,000.00

23. JOYAS DE LA AMISTAD ENGARZADAS EN UNA ANTOLOGIA. Selección y nota preliminar de Salvador Novo. *Rústica* 6,000.00

590. JOYCE, James: *Retrato del Artista Adolescente. Gente de Dublín*. Prólogo de Antonio Marichalar. *Rústica* 6,000.00

467. KAFKA, Franz: *La metamorfosis. El proceso*. Prólogo de Milan Kundera. *Rústica* 9,000.00

486. KAFKA, Franz: *El Castillo - La Condena - La Gran Muralla China*. Introducción de Theodor W. Adorno. *Rústica* 6,000.00

203. KANT, Manuel: *Crítica de la razón pura*. Estudio introductivo y análisis de obra por Francisco Larroyo. *Rústica* 8,000.00

212. KANT, Manuel: *Fundamentación de la metafísica de las costumbres. Crítica de la razón práctica. La paz perpetua*. Estudio introductivo y análisis de las obras por Francisco Larroyo. *Rústica* 6,000.00

246. KANT, Manuel: *Prolegómenos a toda Metafísica del Porvenir. Observaciones sobre el Sentimiento de lo Bello y lo Sublime. Crítica del juicio*. Estudio introductivo y análisis de las obras por Francisco Larroyo. *Rústica* 6,000.00

30. KEMPIS, Tomás de: *Imitación de Cristo*. Introducción de Francisco Montes de Oca. *Rústica* 8,000.00

204. KIPLING, Rudyard: *El libro de las tierras vírgenes*. Introducción de Arturo Souto Alabarce. *Rústica* 8,000.00

545. **KOROLENKO**, Vladimir G.: *El sueño de Makar. Malas compañías. El clamor del bosque. El músico ciego.* Y otros relatos. Introducción por A. Jrabrovitski. *Rústica* 7,000.00

KOROLENKO. (Véase *Cuentos Rusos.*)

KUPRIN. (Véase *Cuentos Rusos.*)

427. **LAERCIO**, Diógenes: *Vidas de los Filósofos más ilustres.* FILOSTRATO: *Vidas de los Sofistas.* Traducciones y prólogos de José Ortiz y Sanz y José M. Riaño. *Rústica* 8,000.00

LAERCIO, Diógenes. (Véase LUCRECIO CARO, Tito.)

LAFONTAINE. (Véase FABULAS.)

520. **LAFRAGUA**, José María: *Orozco y Berra, Manuel. La ciudad de México.* Prólogo de Ernesto de la Torre Villar con la colaboración de Ramiro Navarro de Anda. *Rústica* 15,000.00

153. **LAGERLOFF**, Selma: *El maravilloso viaje de Nils Holgersson.* Introducción de Palma Guillén de Nicolau. *Rústica* 6,000.00

549. **LAGERLOFF**, Selma: *El carretero de la muerte. El esclavo de su finca.* Y otras narraciones. Prólogo de Agustín Loera y Chávez. *Rústica* 6,000.00

272. **LAMARTINE**, Alfonso de: *Graziella. Rafael.* Estudio preliminar de Daniel Moreno. *Rústica* 6,000.00

93. **LARRA**, Mariano José de, "Fígaro": *Artículos.* Prólogo de Juana de Ontañón. *Rústica* 15,000.00

259. **LARRA**, Mariano de: *El Doncel de don Enrique, el Doliente. Macías.* Prólogo de Arturo Souto A. *Rústica* 6,000.00

333. **LARROYO**, Francisco: *La Filosofía Iberoamericana.* Historia, Formas, Temas, Polémica, Realizaciones. *Rústica* 15,000.00

34. **LAZARILLO DE TORMES (EL)** (Autor desconocido): *Vida del Buscón Don Pablos.* De Francisco de Quevedo. Estudio preliminar de ambas obras por Guillermo Díaz-Plaja. *Rústica* 5,000.00

38. **LAZO**, Raimundo: *Historia de la literatura hispanoamericana. El periodo colonial (1492-1780).* *Rústica* 9,000.00

65. **LAZO**, Raimundo: *Historia de la literatura hispanoamericana. El siglo XIX (1780-1914).* *Rústica* 9,000.00

179. **LAZO**, Raimundo: *La novela Andina. (Pasado y futuro. Alcides Argüedas, César Vallejo, Ciro Alegría, Jorge Icaza, José María Argüedas, Previsible misión de Vargas Llosa y los futuros narradores.)* *Rústica* 6,000.00

184. **LAZO**, Raimundo: *El romanticismo. (Lo romántico en la lírica hispano-americana, del siglo XVI a 1970.)* *Rústica* 6,000.00

226. **LAZO**, Raimundo: *Gertrudis Gómez de Avellaneda. La mujer y la poesía lírica.* *Rústica* 6,000.00

LECTURA EN VOZ ALTA. (Véase ARREOLA, Juan José.)

321. **LEIBNIZ**, Godofredo G.: *Discurso de Metafísica. Sistema de la Naturaleza. Nuevo Tratado sobre el Entendimiento Humano. Monadología. Principios sobre la naturaleza y la gracia.* Estudio introductivo y análisis de las obras por Francisco Larroyo. *Rústica* 10,000.00

145. **LEÓN**, Fray Luis de: *La Perfecta Casada. Cantar de los Cantares. Poesías originales.* Introducción y notas de Joaquín Antonio Peñalosa. *Rústica* 6,000.00

247. **LE SAGE**: *Gil Blas de Santillana.* Traducción y prólogo de Francisco José de Isla. Y un estudio de Saint-Beuve. *Rústica* 18,000.00

48. **LIBRO DE LOS SALMOS.** Versión directa del hebreo y comentarios de José González Brown. *Rústica* 8,000.00

504. **LIVIO**, Tito: *Historia Romana. Primera Década.* Estudio preliminar de Francisco Montes de Oca. *Rústica* 10,000.00

276. **LONDON**, Jack: *El lobo de mar. El Mexicano.* Introducción de Arturo Souto Alabarce. *Rústica* 6,000.00

277. **LONDON**, Jack: *El llamado de la selva. Colmillo blanco.* *Rústica* 6,000.00

284. **LONGO**: *Dafnis y Cloe.* APULEYO: *El Asno de Oro.* Estudio preliminar de Francisco Montes de Oca. *Rústica* 6,000.00

12. **LOPE DE VEGA Y CARPIO**, Félix: *Fuenteovejuna. Peribáñez y el Comendador de Ocaña. El mejor alcalde, el Rey. El Caballero de Olmedo.* Biografía y presentación de las obras por J. M. Lope Blanch. *Rústica* 5,000.00

LOPE DE VEGA. (Véase *Autos Sacramentales.*)

LÓPEZ DE YANGUAS. (*Véase Autos Sacramentales.*)

566. **LÓPEZ DE GOMARA,** Francisco: *Historia de la Conquista de México.* Estudio preliminar de Juan Miralles de Ostos 15,000.00

574. **LÓPEZ SOLER,** Ramón: *Los bandos de Castilla. El caballero del cisne.* Prólogo de Ramón López Soler 10,000.00

218. **LÓPEZ Y FUENTES,** Gregorio: *El indio. Novela mexicana.* Prólogo de Antonio Magaña Esquivel. *Rústica* 6,000.00

298. **LÓPEZ-PORTILLO Y ROJAS,** José: *Fuertes y Débiles.* Prólogo de Ramiro Villaseñor y Villaseñor. *Rústica* 6,000.00

LÓPEZ RUBIO. (Véase *Teatro Español Contemporáneo.*)

297. **LOTI,** Pierre: *Las Desencantadas.* Introducción de Rafael Solana. *Rústica.* 8,000.00

LUCA DE TENA. (Véase *Teatro Español Contemporáneo.*)

485. **LUCRECIO CARO,** Tito: *De la Naturaleza.* LAERCIO, Diógenes: *Epicuro.* Prólogo de Cocetto Marchessi. *Rústica* 6,000.00

353. **LUMMIS,** Carlos F.: *Los Exploradores Españoles del Siglo XVI.* Prólogo de Rafael Altamira. *Rústica* 6,000.00

595. **LLULL,** Ramón: *Blanquerna.* El doctor iluminado por Ramón Xirau. *Rústica* . . . .

524. **MAETERLINCK,** Maurice: *El Pájaro Azul.* Introducción de Teresa del Conde. *Rústica* 6,000.00

178. **MANZONI,** Alejandro: *Los novios (Historia milanesa del siglo XVIII).* Con un estudio de Federico Baráibar. *Rústica* 10,000.00

152. **MAQUIAVELO,** Nicolás: *El príncipe.* Precedido de Nicolás *Maquiavelo en su quinto centenario.* Antonio Gómez Robledo. *Rústica* 3,500.00

MARCO AURELIO. (Véase *Epicteto.*)

192. **MARMOL,** José: *Amalia.* Prólogo de Juan Carlos Ghiano. *Rústica* 6,000.00

567. **MARQUEZ STERLING,** Carlos: *José Martí. Síntesis de una vida extraordinaria. Rústica* 8,000.00

MARQUINA. (Véase *Teatro Español Contemporáneo.*)

141. **MARTÍ,** José: *Hombre apostólico y escritor. Sus Mejores Páginas.* Estudio, notas y selección de textos. Raimundo Lazo. *Rústica* 5,000.00

236. **MARTÍ,** José: *Ismaelito. La edad de oro. Versos sencillos.* Prólogo de Raimundo Lazo. *Rústica* 6,000.00

338. **MARTÍNEZ DE TOLEDO,** Alfonso: *Arcipreste de Talavera o Corbacho.* Introducción de Arturo Souto Alabarce. Con un estudio del vocabulario del Corbacho y colección de refranes y alocuciones contenidos en el mismo por A. Steiger. *Rústica* 6.000.00

214. **MARTÍNEZ SIERRA,** Gregorio: *Tú eres la paz. Canción de cuna.* Prólogo de María Edmée Álvarez. *Rústica* 6,000.00

193. **MATEOS,** Juan A.: *El Cerro de las Campanas. (Memorias de un guerrillero.)* Prólogo de Clementina Díaz y de Ovando. *Rústica* 8,000.00

197. **MATEOS,** Juan A.: *El sol de mayo. (Memorias de la Intervención.)* Nota preliminar de Clementina Díaz y de Ovando. *Rústica* 6,000.00

514. **MATEOS,** Juan A.: *Sacerdote y Caudillo.* (Memorias de la insurrección.). 12,000.00

573. **MATEOS,** Juan A.: *Los insurgentes.* Prólogo y epílogo de Vicente Riva Palacio 9,000.00

344. **MATOS MOCTEZUMA,** Eduardo: *El negrito poeta mexicano y el dominicano. ¿Realidad o fantasía?* Exordio de Antonio Pompa y Pompa. *Rústica* 6,000.00

565. **MAUGHAM W.,** Somerset: *Cosmopolitas. La miscelánea de siempre.* Estudio sobre el cuento corto de W. Somerset Maugham. *Rústica* 9,000.00

410. **MAUPASSANT,** Guy de: *Bola de sebo. Mademoiselle Fifí. Las hermanas Rondoll. Rústica* 9,000.00

423. **MAUPASSANT,** Guy de: *La becada. Claror de Luna. Miss Harriet.* Introducción de Dana Lee Thomas. *Rústica* 6,000.00

506. **MELVILLE,** Herman: *Moby Dick o la Ballena Blanca.* Prólogo de W. Somerset Maugham 7,000.00

336. **MENÉNDEZ,** Miguel Ángel: *Nayar (Novela).* Ilustró Cadena M. *Rústica* 6.000.00

570. **MENÉNDEZ PELAYO,** Marcelino: *Historia de los heterodoxos españoles.* Erasmitas y protestantes. Sectas místicas. Judaizantes y moriscos. Artes mágicas. Prólogo de Arturo Farinelli. *Rústica* 12,000.00

63. **PÉREZ GALDÓS, Benito:** *Miau. Marianela.* Prólogo de Teresa Silva Tena. *Rústica* 8,000.00

107. **PÉREZ GALDÓS, Benito:** *Doña Perfecta. Misericordia.* Nota preliminar de Teresa Silva Tena. *Rústica* 8,000.00

117. **PÉREZ GALDÓS, Benito:** *Episodios nacionales: Trafalgar. La Corte de Carlos IV.* Prólogo de María Eugenia Gaona. *Rústica* 6,000.00

130. **PÉREZ GALDÓS, Benito:** *Episodios nacionales: 19 de Marzo y el 2 de Mayo. Bailén.* Nota preliminar de Teresa Silva Tena. *Rústica* 6,000.00

158. **PÉREZ GALDÓS, Benito:** *Episodios nacionales: Napoleón en Chamartín Zaragoza.* Prólogo de Teresa Silva Tena. *Rústica* 6,000.00

166. **PÉREZ GALDÓS, Benito:** *Episodios nacionales: Gerona. Cádiz.* Nota preliminar de Teresa Silva Tena. *Rústica* 6,000.00

185. **PÉREZ GALDÓS, Benito:** *Fortunata y Jacinta. (Dos historias de casadas.)* Introducción de Agustín Yáñez 15,000.00

289. **PÉREZ GALDÓS, Benito:** *Episodios nacionales: Juan Martín el Empecinado. La Batalla de los Arapiles. Rústica* 6,000.00

378. **PÉREZ GALDÓS, Benito:** *La desheredada.* Prólogo de José Salavarría. *Rústica* 6,000.00

383. **PÉREZ GALDÓS, Benito:** *El amigo manso.* Prólogo de Joaquín Casalduero. 1982. *Rústica* 6,000.00

392. **PÉREZ GALDÓS, Benito:** *La fontana de oro.* Introducción de Marcelino Menéndez Pelayo 6,000.00

446. **PÉREZ GALDÓS, Benito:** *Tristana-Nazarín.* Prólogo de Ramón Gómez de la Serna. *Rústica* 8,000.00

473. **PÉREZ GALDÓS, Benito:** *Angel Guerra.* Prólogo de Emilia Pardo Bazán. *Rústica* 6,000.00

489. **PÉREZ GALDÓS, Benito:** *Torquemada en la Hoguera. Torquemada en la Cruz. Torquemada en el Purgatorio. Torquemada y San Pedro.* Prólogo de Joaquín Casalduero. *Rústica* 6,000.00

231. **PÉREZ LUGÍN, Alejandro:** *La casa de la Troya. Estudiantina. Rústica* 4,000.00

235. **PÉREZ LUGÍN, Alejandro:** *Currito de la Cruz. Rústica* 6,000.00

263. **PERRAULT, Cuentos de:** *Griselda. Piel de asno. Los deseos ridículos. La bella durmiente del bosque. Caperucita Roja. Barba Azul. El gato con botas. Las hadas. Cenicienta. Riquete el del copete. Pulgarcito.* Prólogo de María Edmée Alvarez. *Rústica* 3,500.00

308. **PESTALOZZI, Juan Enrique:** *Cómo Gertrudis enseña a sus hijos. Cartas sobre la educación de los niños. Libros de educación elemental. Prólogos.* Estudio introductivo y preámbulos de las obras por Edmundo Escobar. *Rústica* 6,000.00

369. **PESTALOZZI, Juan Enrique:** *Canto del cisne.* Estudio preliminar de José Manuel Villalpando. *Rústica* 6,000.00

492. **PETRARCA:** *Cancionero - Triunfos.* Prólogo de Ernst Hatch Wilkins 8,000.00

221. **PEZA, Juan de Dios:** *Hogar y patria. El arpa del amor.* Noticia preliminar de Porfirio Martínez Peñalosa. *Rústica* 10,000.00

224. **PEZA, Juan de Dios:** *Recuerdos y esperanzas. Flores del alma y versos festivos. Rústica* 8,000.00

557. **PEZA, Juan de Dios:** *Leyendas históricas tradicionales y fantásticas de las calles de la ciudad de México.* Prólogo de Isabel Quiñones. *Rústica* 9,000.00

594. **PEZA, Juan de Dios:** *Memorias, reliquias y retratos.* Prólogo de Isabel Quiñones. *Rústica* ....

248. **PINDARO:** *Odas. Olímpicas. Píticas. Nemeas. Istmicas y fragmentos de otras obras de Pindaro. Otros líricos griegos. Arquíloco. Tirteo. Alceo. Safo.* Simónides de Ceos. *Anacreonte. Baquílides.* Estudio preliminar de Francisco Montes de Oca. *Rústica* 6,000.00

13. **PLATON:** *Diálogos.* Estudio preliminar de Francisco Larroyo. Edición corregida y aumentada. *Rústica* 14,000.00

139. **PLATON:** *Las leyes. Epinomis. El político.* Estudio introductivo y preámbulos a los diálogos por Francisco Larroyo. *Rústica* 6,000.00

258. **PLAUTO:** *Comedias: Los mellizos. El militar fanfarrón. La olla. El gorgojo. Anfitrión. Los cautivos.* Estudio preliminar de Francisco Montes de Oca. *Rústica*. 6,000.00

26. **PLUTARCO:** *Vidas paralelas.* Introducción de Francisco Montes de Oca. *Rústica* 8,000.00

564. **POBREZA Y RIQUEZA.** En obras selectas del cristianismo primitivo. Selección de textos, traducción y estudio introductivo por Carlos Ignacio González, S. J. *Rústica* 10,000.00

ENCUADERNADOS EN TELA: $ 2,000.00 MÁS POR TOMO

PRECIOS SUJETOS A VARIACIÓN SIN PREVIO AVISO.

EDITORIAL PORRÚA, S. A.